ANGLAID
Une langue irrémédiablement vouée à l'impérialisme et à l'ethnocentrisme

Du même auteur :

Le Manifeste des Intouchables, essai, Éditions des Intouchables, Montréal, 1993.
Ail, aïe !, roman, Éditions des Intouchables, Montréal, 1993.
Fond de semaine, roman, Éditions des Intouchables, Montréal, 1994.
Les Cœurs de pierre lapidés, nouvelles, Éditions des Intouchables, Montréal, 1995.
L'Esquisse d'une mémoire, biographie, Éditions des Intouchables, Montréal, 1996.
PQ-de-sac, essai, Éditions des Intouchables, Montréal, 1997.
La Religion cathodique, roman, Éditions des Intouchables, Montréal, 1998.
L'Implacable destin, roman, Éditions des Intouchables, Montréal, 2000.
L'Enfant qui voulait dormir, roman, Éditions Grasset, Paris, 2005.

Michel Brûlé

ANGLAID

Une langue irrémédiablement vouée à l'impérialisme et à l'ethnocentrisme

MICHEL BRÛLÉ

4703, rue Saint-Denis
Montréal, Québec H2J 2L5
Téléphone : 514 680-8905
Télécopieur : 514 680-8906
www.michelbrule.com

Maquette de la couverture et mise en pages : Jimmy Gagné, Studio C1C4
Photo de la couverture : Mathieu Lacasse
Peinture murale : Zïlon
Révision : Annie-Christine Roberge, Anne Masson
Correction : Élise Bachant, Nicolas Therrien

Distribution : Prologue
1650, boul. Lionel-Bertrand
Boisbriand, Québec J7H 1N7
Téléphone : 450 434-0306 / 1 800 363-2864
Télécopieur : 450 434-2627 / 1 800 361-8088
Distribution en Europe : D.N.M. (Distribution du Nouveau Monde)

30, rue Gay-Lussac
75005 Paris, France
Téléphone : 01 43 54 50 24
Télécopieur : 01 43 54 39 15
www.librairieduquebec.fr

Les éditions Michel Brûlé bénéficient du soutien financier du gouvernement du Québec —
Programme de crédit d'impôt pour l'édition de livres — Gestion SODEC et sont inscrites au
Programme de subvention globale du Conseil des Arts du Canada. Nous reconnaissons l'aide
financière du gouvernement du Canada par l'entremise du Programme d'aide au développement
de l'industrie de l'édition (PADIÉ) pour nos activités d'édition.

Nul n'est plus esclave que celui qui se croit libre sans l'être.
JOHANN WOLFGANG VON GOETHE

PRÉFACE

Dans le monde d'aujourd'hui, la langue anglaise est aussi omniprésente que le ciel, le soleil, les étoiles et la lune. Pour certains, elle est encore plus grande que toutes ces splendeurs. Plus omniprésente, certes. S'il n'est pas rare de passer une semaine sans voir le soleil, est-il possible d'être où que ce soit sur la planète Terre sans entendre un mot d'anglais ? Pour la plupart des gens, cet état de fait constitue la normalité.

Je vais tout de suite vous surprendre en citant un écrivain de langue anglaise : « L'homme raisonnable s'adapte au monde ; l'homme déraisonnable s'obstine à essayer d'adapter le monde à lui-même. Tout progrès dépend donc de l'homme déraisonnable », disait l'Irlandais George Bernard Shaw. Me présenté-je comme un homme déraisonnable ou ai-je le maléfique dessein de me servir du génie anglais pour bouleverser le bel équilibre anglo-états-unien du globe ? Vous remarquerez que je confonds Irlandais et génie anglais pour des raisons qui relèvent de l'anglocentrisme. J'y reviendrai plus tard dans cet ouvrage.

Vous aurez déjà compris que je ne suis pas du genre à tout tenir pour acquis, même pas la prédominance de l'anglais. D'ailleurs, j'ai souvent l'impression d'être le dernier des sceptiques. Heureusement, je ne suis pas seul. Si les Français singent les États-Uniens en répétant comme de pauvres perroquets le mot « Américains » pour désigner les États-Uniens comme le font aussi les germanophones ou les néerlandophones en disant « Amerikaner » ou « Amerikaan », les hispanophones utilisent régulièrement le mot « Estadounses » ou encore l'expression « Gringos ». Il va sans dire que les hispanophones et les rares francophones qui utilisent le mot « états-uniens » font figure d'exceptions. Il reste que le fait qu'un peuple s'approprie le nom du continent pour se désigner est un exemple intolérable d'impérialisme !

Lorsque les États-Uniens utilisent le mot «Américains», c'est comme si ce peuple faisait abstraction des cent millions de Mexicains et des cent quatre-vingts millions de Brésiliens.

Il existe plus de 6 600 langues sur la terre, et des dizaines d'entre elles meurent chaque année. Les linguistes prévoient que, dans cinquante ans, il n'en restera plus que 10 %. Il serait surprenant que l'anglais fasse partie de ces langues disparues. Il n'empêche que c'est d'une langue prédominante, mais maintenant morte, que je tire ma prochaine citation : «Quia nomilor leo», parce que je m'appelle lion. On pourrait dire que les «Américains» se sont approprié le continent et comme l'appétit vient en mangeant, ils veulent s'approprier le monde. Je ne fais pas référence à leur puissance militaire. On le sait : les États-Unis ont été les grands gagnants de la Seconde Guerre mondiale, mais ils se sont cassé la gueule au Vietnam et en Irak. De toute façon, l'ancienne colonie anglaise mène depuis belle lurette une guerre plus subtile et plus efficace, soit celle de la domination culturelle. Déjà en 1938, William Hays, le président de l'association des plus importants producteurs et distributeurs du cinéma hollywoodien, disait : «La marchandise suit le film ; partout où entre le film américain, nous vendons davantage de produits américains.» Et quand cette domination culturelle est achevée, personne n'est surpris de voir les «Américains» chanter *We are the World* de Michael Jackson et de Lionel Richie. Ces derniers avaient de bonnes intentions ; ils voulaient recueillir de l'argent pour venir en aide aux Éthiopiens terrassés par une famine, mais il n'en reste pas moins que ce *We are the World* chanté par une vingtaine de chanteurs et chanteuses états-uniens est un immense cri impérialiste. Maintenant que je le dis, cela paraît peut-être évident, mais à cette époque, en 1985, personne n'a bronché. Comme disait Dostoïevski : «La tyrannie est une habitude».

Je poursuis ma démonstration en citant Jean-Jacques Rousseau : «Il n'y a point d'assujettissement si parfait que celui qui garde l'apparence de la liberté [...]». Et les États-Uniens ont tellement bien réussi à donner l'illusion de cette liberté ! Il suffit de penser aux publicités de McDonald's et de Coca-Cola, qui sont presque toujours empreintes de joie, de bonheur et de fraternité. L'anglais s'est imposé comme langue universelle en utilisant le même message que celui qui est véhiculé dans ce genre de publicités. Comme dans le cas de McDonald's, les promoteurs de l'anglais ont cherché à séduire les jeunes en utilisant l'argument de la facilité. Et Dieu sait que, dans le monde d'aujourd'hui, la facilité est représentée comme une fin en soi. Qui serait donc assez malfaisant pour s'attaquer à la langue parfaite ? De toute façon, qui est assez fort ? D'ailleurs, tous les « super héros » sont « Américains » !

Le philosophe grec Platon disait : « L'homme est un aveugle qui va dans le droit chemin ». Ce qui m'amène à parler du concours Eurovision de la chanson 2008. Que des Français soient fiers que *Divine*, une chanson minable en anglais, représente la France ou que l'oligarchie russe ait décidé que *Believe*, une autre mauvaise chanson en anglais, représenterait la Russie, on peut le comprendre. Ils font honneur à Platon en lui donnant raison. Si les hispanophones sont plus sceptiques à l'égard de l'anglais, c'est que les États-Uniens les ont beaucoup fait souffrir. Idem pour les Québécois, dont je suis et dont les bourreaux sont les demi-frères des États-Uniens, soit les Canadiens anglais.

Je ne peux donc pas me vanter d'avoir fait une observation majeure. Disons que, avec mon approche dubitative, j'étais naturellement disposé à la faire. J'ai découvert qu'une des composantes les plus importantes de la langue anglaise était mauvaise. En effet, je me suis rendu compte que le fait que le « je » anglais, le « I », soit toujours en majuscule, était un défaut, une tare dont il fallait débarrasser la langue anglaise. Pourquoi est-ce si grave ? On s'entend que la vie en société est faite de relations entre individus, relations qui se caractérisent par le rapport que chaque individu se désignant par un « je » entretient avec l'autre. Or, dans la langue anglaise, le « je » est hypertrophié, et l'autre, représenté par le « you », est complètement atrophié. À vrai dire, rares sont les langues qui ne possèdent pas de formule de politesse pour désigner l'autre. En anglais, il y a « moi » versus les autres. Quand il vouvoie quelqu'un, le locuteur francophone, lusophone ou germanophone le met sur un piédestal, mais le locuteur anglophone avec son « je » hypertrophié se met lui-même sur un piédestal. Cette relation entre le « I » tout-puissant et le « vo-you » n'en est-elle pas une de subordination, d'assujettissement ? En français, on fait la distinction entre « tu » et « vous », et, en allemand, la formule de politesse « Sie » s'écrit avec une majuscule. Certains prétendent que le « I » est toujours en majuscule afin qu'on distingue bien ce mot dans un texte même s'il n'est constitué que d'une seule lettre. Cet argument ne tient pas. Dans la langue russe, le « je » est aussi constitué d'une seule lettre, «я», et s'écrit pourtant avec une minuscule. Qui plus est, comme dans la langue de Goethe, la formule de politesse russe qui sert à désigner l'autre s'écrit avec une majuscule. Autre fait intéressant au sujet du russe, le mot «autre» signifie aussi «ami». On est loin de «L'enfer, c'est les autres» de Sartre. C'est à croire que le philosophe français était, en réalité, un Anglais. Blague à part, il est évident que tout le monde peut développer une hypertrophie du «je». Le hic avec l'anglais est que cette hypertrophie est attribuable à tous ceux qui parlent anglais.

Que le «je» soit hypertrophié et que la désignation de l'autre soit complètement atrophiée explique-t-il l'impérialisme des Anglais et des États-Uniens? Ce raisonnement serait trop simpliste. Et puis, comment expliquer l'impérialisme des Japonais, dont la langue est caractérisée par une multitude de formules de politesse à l'égard de l'autre? Et puis aussi, comment expliquer l'impérialisme de toutes les autres puissances impérialistes des siècles derniers? Mais qu'il s'agisse de l'impérialisme des Portugais, des Russes, des Turcs ou des Japonais, il y a une chose qui les distingue de celui des Anglais et des États-Uniens, c'est leur ouverture sur le monde. Avant les Anglais et les États-Uniens, les Français étaient les «maîtres du monde». S'il est vrai que bon nombre d'entre eux avaient le «je» très hypertrophié, il n'en reste pas moins que l'intelligentsia française était très ouverte sur le monde. Selon les préjugés de l'époque, on considérait que les plus grands opéras étaient italiens ou allemands, que la littérature russe était au moins aussi bonne que la française, que Shakespeare était supérieur à Molière, et que la musique et la philosophie étaient avant tout allemandes. Les Anglais et les États-Uniens n'écoutent que leur musique, ne lisent que leurs livres et ne regardent que leurs films. Ce phénomène unique d'absence d'ouverture quant au reste de la production artistique mondiale doit bien venir de quelque part. Je pense que le fameux «I» tout-puissant y est pour quelque chose. Si le but ultime de l'humanité est de bâtir un monde plus fraternel et plus équitable, il est impossible d'y arriver en adoptant comme langue internationale l'anglais, qui est, à la base, ségrégationniste.

UNE PETITE HISTOIRE
DE L'ANGLETERRE ET DE L'ANGLAIS

Pour faire ce petit cours d'histoire sur l'Angleterre, je vais commencer par citer un livre, auquel je fais très souvent référence dans mon ouvrage. « Dès le VIIIᵉ siècle avant notre ère, les Phéniciens et les Grecs visitaient Albion pour y cueillir de l'alun, de l'étain et du fer. L'Angleterre était alors habitée par des Celtes. Un peu à la manière des Anglais en Inde, les Romains vont d'abord faire du commerce avec les Celtes d'Angleterre pour se transformer par la suite en envahisseurs en 55 et en 54 avant notre ère lors des deux expéditions de César en Britannia[1]. » Il est intéressant de savoir que les Romains ne réussiront jamais à conquérir l'Écosse, que l'on appelait alors la Calédonie, pas plus que l'Irlande. « Le génie romain a marqué ce pays [l'Angleterre] et lui a donné une bonne avance sur ses voisins écossais et irlandais qui vont en être les victimes[2]. »

Les Bretons font partie de la grande famille des Celtes, mais on en retrouve aussi en Galice, province espagnole qui se situe aux confins du pays, près du Portugal. On y parle le galicien, langue qui ressemble davantage au portugais qu'à l'espagnol, et les Galiciens jouent de la cornemuse et portent le kilt. J'ai déjà lu les résultats d'une étude anthropologique qui révélait qu'il existait de nombreuses similitudes sur le plan génétique entre les Espagnols et les Anglais. Notamment, les Espagnols ont, tout comme les Anglais, subi un métissage avec des peuples germaniques. Par contre, contrairement aux Espagnols, les Anglais n'ont pas vécu sous le joug des Maures pendant huit siècles. Chose certaine, quand on remonte aussi loin dans le temps, il est

1. ROUSSEAU, Normand, *L'histoire criminelle des Anglo-Saxons*, Saint-Zénon, Louise Courteau éditrice, 2008, p. 28-29.
2. *Ibid.*, p. 30.

difficile d'avoir des certitudes. Les Saxons ont effectivement envahi l'Angleterre. « Alors que l'Empire romain se meurt, les Saxons, au IVᵉ siècle, envahissent l'Angleterre. En 367, les Scots d'Hibernie (Irlande) franchissent le mur d'Hadrien. En 383, les Pictes de Calédonie en font autant. En 410, les Romains quittent leur chère Britannia. L'Angleterre aura donc été colonie romaine pendant presque quatre siècles. [...] Les Saxons vont remplacer les Romains. Une nouvelle ère de six siècles commence et s'étend de l'arrivée des Saxons au Vᵉ siècle jusqu'à l'invasion des Normands au XIᵉ siècle[3]. » On dit que les Saxons n'étaient pas le seul peuple germanique à envahir l'Angleterre. Les Jutes, les Frisons et les Angles en auraient fait de même. En ce qui concerne les Jutes, c'est simple, ils viennent de la péninsule du Jutland, qui se trouve au Danemark. Les Frisons viendraient du nord de l'Allemagne, du Danemark et de la Norvège. Par contre, pour plusieurs, l'origine des Angles reste mystérieuse. Et s'ils n'avaient pas existé, tout simplement ! J'ai toujours pensé que l'Angleterre portait ce nom à cause de la forme du pays. Selon d'autres, elle doit son nom aux « Angles, un peuple germanique venu du Schleswig-Holstein actuel, au sud du Danemark, [qui] s'installèrent sur les côtes méridionales de la Britannia (Bretagne) et repoussèrent les Celtes jusqu'en Cornouailles et au pays de Galles[4]. »

En ce qui a trait aux Saxons, je ne pense pas qu'on puisse affirmer indubitablement qu'ils viennent de la Saxe. Si vous observez une carte de l'Allemagne, vous remarquerez que la Saxe est loin des côtes. D'ailleurs, à voir la façon dont il a bombardé Dresde, Winston Churchill ne sentait visiblement pas que l'Angleterre avait beaucoup de parenté avec la Saxe. Peut-être, en effet, que les Saxons qui ont envahi l'Angleterre ne venaient pas de l'Allemagne. Il y avait peut-être d'autres Saxons qui étaient établis dans une autre région, plus près de l'Angleterre. Encore aujourd'hui, il existe des peuples différents, vivant plus ou moins dans la région, qui portent le même nom. Les Slovaques et les Slovènes désignent leur langue de la même façon. Si on se fie aux historiens, aucun peuple germanique venu des Pays-Bas n'aurait envahi l'Angleterre à cette période. Pourtant, il existe beaucoup de ressemblances entre le vieil anglais, « Old English », et le vieux néerlandais.

---

3. *Ibid.*
4. LECLERC, Jacques, « Trésor de la langue française au Québec », Université Laval. http://www.tlfq.ulaval.ca/axl/Langues/2vital_inter_anglais.htm.

L'an 1066 fut marqué par la conquête de l'Angleterre par Guillaume de Normandie. « À la mort d'Édouard d'Angleterre en 1066, son cousin, le duc de Normandie, appelé alors « Guillaume le Bâtard », débarqua en Angleterre pour faire valoir ses droits sur le trône. Lors de la bataille d'Hastings, il battit Harold, comte de Wessex, qui avait été désigné comme successeur. Guillaume le Bâtard (*the Bastard*, en Angleterre) devint Guillaume le Conquérant. Le jour de Noël, il fut couronné roi d'Angleterre en l'abbaye de Westminster. Guillaume le Conquérant et les membres de sa cour parlaient une sorte de français appelé aujourd'hui le franco-normand, un français teinté de mots nordiques apportés par les Vikings qui avaient, un siècle auparavant, conquis le Nord de la France. La conséquence linguistique de Guillaume le Conquérant fut d'imposer le franco-normand comme langue officielle en Angleterre. Alors que les habitants des campagnes parlaient l'anglo-saxon, la noblesse locale et l'aristocratie conquérante utilisaient le franco-normand, et le clergé, les savants et les lettrés, le latin[5]. »

Les siècles suivants ont mené peu à peu la France et l'Angleterre vers la guerre de Cent Ans. « Toute la monarchie anglaise parlait français, et ce, d'autant plus que les rois anglais épousaient des reines françaises. En 1328, le dernier des Capétiens (Charles IV) mourut sans héritier. Le roi d'Angleterre fit valoir ses droits à la succession, mais Philippe VI de Valois fut préféré par les princes français (1337). Dès lors, deux rois de langue française se disputèrent le royaume de France jusqu'en 1453, ce fut la guerre de Cent Ans. Cette longue guerre fit naître un fort sentiment nationaliste, tant en France qu'en Angleterre, ce qui eut des conséquences sur la langue française de la monarchie anglaise. La bourgeoisie anglaise s'insurgea contre l'utilisation de plus en plus grande du français et réclama l'utilisation de l'anglais dans les actes de justice. En 1362, le *Statute of Pleading* établit l'anglais comme langue unique des tribunaux. Puis le français perdit la place privilégiée qu'il avait dans l'enseignement. À partir de 1349, l'université d'Oxford dispensa son enseignement en anglais. Or, auparavant, c'est en français que se faisait l'enseignement universitaire. C'est seulement sous le règne d'Henry IV (1399-1413) que le premier roi d'Angleterre parla, comme langue maternelle, l'anglais[6]. »

---

5. *Ibid.*
6. *Ibid.*

Puis est apparu l'anglais moderne. « L'anglais moderne commença avec le XV⁰ siècle : le franco-normand et l'anglo-saxon se fondirent pour donner naissance à l'anglais d'aujourd'hui : le *Modern English*. C'est à cette époque que l'orthographe commença à se fixer et que la grammaire acquit les caractéristiques qu'on lui connaît aujourd'hui. Sur le plan du vocabulaire, l'anglais emprunta de très nombreux mots au français et au latin, langues qui ont exercé sur lui une influence considérable. En même temps, l'anglais moderne fit des emprunts à plus d'une cinquantaine d'autres langues différentes.

Selon l'étude de Thomas Finkenstaedt et Dieter Wolf effectuée en 1973 à partir de 80 000 mots de la 3⁰ édition du *Shorter Oxford Dictionary*, les origines de l'anglais vont comme suit :

28,3 % du français ;
28,24 % du latin ;
25 % des langues germaniques, y compris le vieil anglais et l'anglais moyen ;
5,32 % du grec ;
4,03 % sans étymologie connue ;
3,28 % de noms propres ;
1 % d'autres langues[7].

Jadis, l'anglais est allé chercher des mots dans les autres langues, surtout le français et le latin. Aujourd'hui, c'est l'inverse qui se produit. « Des siècles durant, l'anglais a réussi à puiser des mots dans d'autres langues pour en faire des mots anglais qui ont pris l'apparence de mots appartenant à la langue anglaise depuis toujours. Aujourd'hui, ce sont les autres langues qui puisent dans l'anglais[8]. »

---

7. *Wikipédia, l'encyclopédie libre.* http://fr.wikipedia.org/wiki/Anglais
8. BRAGG, Melvyn, *The Adventure of English : The Biography of a Language*, Londres, Hodder and Stoughton Book, 2003, p. 306.

AU SUJET DE L'HYPERTROPHIE DU « JE » DANS LA LANGUE ANGLAISE

La divinité aime rabaisser tout ce qui s'élève.
Hérodote

Commençons par faire l'histoire du fameux « I » tout-puissant. Selon mes recherches, il serait peut-être apparu pour la première fois en 1327. Il est important de souligner que, dans le vieil anglais, le « je » se prononçait et s'écrivait « ic » comme c'était le cas pour le « je » néerlandais jusqu'au XVIIIᵉ siècle. Aujourd'hui, le « je » néerlandais s'écrit « ik », mais se prononce toujours de la même façon. Dans son évolution, le « je » anglais, en plus d'adopter la majuscule, n'a gardé que la lettre « i » de sa forme originale. Le « je » est passé de « ic » — prononcé comme le mot français « hic » — à « I » — prononcé comme le mot « aïe ». L'énorme différence de l'évolution de la prononciation de la lettre « i » vient-elle de l'influence franco-normande ou bien des racines celtes ? Je ne saurais le dire, et, de toute façon, ce qui m'intéresse, c'est la majuscule.

Albert Memmi croit que le colonisé a le choix, ou bien de s'assimiler au colonisateur, ou bien de l'éliminer. « Il tente soit de devenir autre, soit de reconquérir toutes ses dimensions dont l'a amputé la colonisation[9]. » Évidemment, quand le colonisé fait le choix de s'assimiler au colonisateur, il fait aussi le choix d'éliminer son frère qui refuse l'assimilation. Comme le Québec est un terrain fertile en colonisés de différents degrés d'assimilation, j'ai partagé ma découverte avec bon nombre de ces êtres rampants. À un moment donné, une fille m'a dit que mon observation n'avait aucune pertinence, car, selon elle, les Anglais auraient adopté la majuscule pour la simple et bonne

---

9. Memmi, Albert, *Portrait du colonisateur*, Paris, Payot, 1973, p. 148.

raison que le « je » anglais est constitué d'une lettre. Loin de manquer de culture, la demoiselle m'a rappelé que les scribes ne faisaient pas d'espaces entre les mots — étaient-ils les précurseurs d'Internet ? — et que le « i » se perdait dans ce flot de lettres.

Pourquoi alors le « je » russe, qui n'est lui aussi constitué que d'une seule lettre, « я », s'écrit-il avec une minuscule ? Décidément, je crois que son argument ne tient pas. À moins que les scribes anglais aient eu une moins bonne vue que les scribes russes !

Toujours selon mes recherches, le « je » anglais se serait aussi écrit avec une minuscule jusqu'au milieu du XVe siècle, moment où le « I » tout-puissant est devenu le seul maître. Est-ce un hasard que la guerre de Cent Ans ait éclaté à cette époque ? Les Anglais sentaient-ils alors le besoin de se prouver en se donnant un « I » tout-puissant ? La chose est impossible à démontrer, mais un fait demeure : le « je » majuscule a une incidence sur le rapport qu'ont les locuteurs anglophones avec les autres.

Le « je » majuscule fait en sorte que le locuteur impose à son interlocuteur qu'il lui témoigne du respect. Autrement dit, il le regarde de haut. J'irais même jusqu'à dire qu'il y a un a priori de subordination et d'assujettissement de l'autre dans ce « I » tout-puissant. Bon nombre de gens croient avoir de la difficulté à apprendre l'anglais. En fait, la plupart de ces gens n'éprouveraient pas ces problèmes d'apprentissage s'ils se mettaient à parler d'autres langues. Je suis moi-même polyglotte et je parle huit langues. Quand je parle espagnol avec un hispanophone, je sens qu'il est content parce que j'essaie de parler sa langue. Quand je parle allemand avec un germanophone, c'est la même chose. Idem pour le russe avec un russophone. Mais quand je parle anglais avec un anglophone, j'ai l'impression qu'il est condescendant et qu'il me juge en se disant : « Il n'est pas des nôtres ». D'ailleurs, il est intéressant de savoir que les anglophones disent « notre langue » en parlant de la langue anglaise, alors que les francophones désignent le français comme la langue française.

À l'hypertrophie du « je », ajoutons que l'autre, qui n'est désigné que par le « you », est complètement atrophié. Par le biais du vouvoiement, le locuteur met son interlocuteur sur un piédestal. Avec le fameux « I » tout-puissant, c'est le locuteur qui se met sur un piédestal, ce qui le prédispose au sentiment de supériorité. Certains diront que le mot

« sir » a la même fonction que le vouvoiement. À cela, je réponds trois choses : *primo*, l'équivalent féminin de « sir », c'est « mam » (à prononcer avec un gros accent états-unien nasillard), ce qui fait que ce faux vouvoiement est à la base sexiste ; *secundo*, le mot « sir » est une particule qui sert à désigner les aristocrates de rang peu élevé, au-dessus desquels le locuteur anglophone se place avec son « I » tout-puissant ; et, *tertio*, quand on vouvoie en français, par exemple, on dit aussi « monsieur » et « madame », les équivalents de « sir » et « mam ».

Dès lors, rien ne m'empêche d'affirmer que l'anglais est une langue irrémédiablement vouée à l'impérialisme et à l'ethnocentrisme. Selon moi, ce « I » tout-puissant et ce « vo-you » ont prédisposé les locuteurs anglophones au narcissisme, à l'ethnocentrisme et à l'impérialisme, et l'histoire des Anglais et de tous les autres anglophones va dans ce sens, comme je le démontrerai dans cet ouvrage.

Vous êtes peut-être impressionnés par cette bien jolie formule du « vo-you ». Eh bien, je la dois à Philippe Lafortune, qui m'a aidé dans mes recherches. Et tant qu'à faire preuve d'humilité, je vais tout de suite me poser en avocat du diable. À l'origine, le « you » signifiait « vous », et c'est le « thou », signifiant « tu », que la langue anglaise a abandonné. Peut-être que, à une certaine époque, on sentait l'effet du vouvoiement dans le « you », mais certainement pas aujourd'hui ! Malgré tout, je vais plus loin dans ma position d'avocat du diable en posant la question suivante. Si le « I » tout-puissant prédispose les locuteurs anglophones au narcissisme, à l'ethnocentrisme et à l'impérialisme, pourquoi est-ce que le « you », qui était un « vous » universel, n'aurait-il pas prédisposé le locuteur anglophone plus que quiconque à avoir plus de respect pour l'autre en vouvoyant systématiquement celui-ci ? Le doute s'installe. Tic-tac, tic-tac. Ma théorie vient-elle de foutre le camp ? L'un annulerait-il l'autre ? Les effets narcissiques du « I » tout-puissant seraient-ils contrecarrés par le « you », représentant le vouvoiement universel ? J'arrête ici de défendre l'indéfendable. Selon moi, il ne fait aucun doute que le « you » actuel a perdu toute notion de vouvoiement. D'ailleurs, si je me fie à la façon dont les Anglo-Québécois parlent le français, il est clair qu'ils ne savent pas ce qu'est le vouvoiement ! Par contre, ils savent toujours très bien comment regarder quelqu'un de haut !

Je ne suis probablement pas le premier à m'être arrêté sur le fait que le « je » en anglais s'écrive toujours avec une majuscule. L'équipe de marketing de McDonald's l'a fait avant moi quand elle a mis en avant le slogan « i'm lovin it ». Il ne faut jamais prendre une campagne publicitaire de McDo à la légère. Si les gens de la chaîne de restos la plus populaire du monde ont depuis toujours ciblé les enfants, c'est qu'ils croyaient à juste titre qu'ils allaient les embrigader. Pour trouver que cette malbouffe est bonne, il faut être aussi aveugle que les disciples d'une secte. Il me semble évident que McDo aime les gens faibles et que le fameux « I » tout-puissant dérange. Si j'interprète la logique de McDo, le fait de mettre le « i » en minuscule dans les publicités laisse entendre que la seule lettre qui devrait être en majuscule est le « M » de McDonald's. Tout le monde devrait donc être assujetti au grand « M » de McDo. Je crois que la réflexion du géant de la malbouffe s'arrête là. Contrairement à moi, les bonzes de la superchaîne de restos n'ont sûrement pas vu de corrélation entre le « I » majuscule et l'impérialisme, le complexe de supériorité et l'ethnocentrisme des anglophones. J'imagine que vous ne serez pas surpris de savoir que je ne mange jamais de cette « M »…

FIERS GÉNOCIDAIRES

On tue un homme, on est un assassin. On tue des milliers d'hommes, on est un conquérant. On les tue tous, on est Dieu.
JEAN ROSTAND

Il n'y a rien de plus dur au monde que de demander pardon.
ELTON JOHN

En Allemagne et en Autriche, le souvenir de la Shoah perpertrée par les nazis est une véritable honte. Je suis allé à Dachau, à une dizaine de kilomètres de Munich, où l'on a reconstitué le camp de concentration nazi. En plus d'y voir les installations, on y trouve des photos de gens émaciés et un slogan omniprésent : « Niemals ! », « Plus jamais ! », « Nunca màs ! ». Le désespoir que les Allemands et les Autrichiens ont connu dans l'entre-deux-guerres les a poussés à commettre un acte d'une barbarie inégalée. Peu importe les circonstances dites atténuantes pour les Allemands et les Autrichiens, rien ne pourra jamais faire oublier la gravité et la cruauté de leur geste. La Shoah est la cristallisation d'un mouvement de haine envers les Juifs qui touchait le monde entier et surtout l'Europe, mais il est injuste de faire porter toute la faute aux seuls Allemands et Autrichiens. Le Canada et les États-Unis, par exemple, ont refusé d'accueillir des bateaux remplis de réfugiés juifs. On a voulu faire des Allemands et Autrichiens des boucs émissaires, mais au bout de soixante ans, ça commence à faire. Les Allemands et les Autrichiens ont fait leur *mea culpa* un million de fois plutôt qu'une. Malgré tout, le génocide est une tare qui restera gravée dans l'histoire des peuples allemand et autrichien à tout jamais comme une tache indélébile.

De l'autre côté de l'Atlantique, la fierté d'un génocide a un nom : l'Amérique du Nord britannique, aujourd'hui connue sous les noms de Canada et d'États-Unis d'Amérique. Imaginez que Dachau soit une sorte de Disneyland où l'on vendrait des petites statues de Juifs émaciés portant des vêtements de prisonniers avec une étoile de David dessus. Ça serait choquant, n'est-ce-pas ? Très, très, très choquant même ! Eh bien, au Canada et aux États-Unis, on trouve un peu partout des statues de chefs indiens fabriquées en série. Pourquoi cette fierté, si ce n'est de les avoir exterminés ? Le football avec un ballon ovale est comme une religion aux États-Unis et un sport important au Canada. L'équipe de la capitale états-unienne, Washington, porte le nom de *Redskins* et celle d'Edmonton, *Eskimos*. On a déjà pensé que le mot « Esquimau » était d'origine algonquine et signifiait « mangeur de chair crue », mais il appert que les linguistes croient plutôt que le mot « Esquimau » est d'origine innue et qu'il veut dire : « ceux qui parlent une autre langue ». Les Inuits ont toujours perçu le mot « esquimau » comme une insulte qui les accusait d'être un peuple trop primitif pour connaître le feu. Les Inuits mangent de la viande crue — des millions de gens adorent le steak tartare — mais ils connaissaient le feu.

En 1953, pour faire respecter les frontières du Canada en Arctique, on s'est servi des Inuits. On en a embarqué une cinquantaine dans des navires et on les a déplacés à des centaines de kilomètres de leur habitat naturel, soit sur les îles Ellesmere et Cornwallis dans le Haut-Arctique. Pour la majorité des Canadiens, de la neige, ça reste de la neige, mais pas pour les Inuits. Les pauvres se sont retrouvés dans des endroits où il n'y avait rien à manger. Je me souviens d'un reportage où l'on voyait un vieil Inuit pleurer en se plaignant d'avoir vécu la famine.

Apparemment, ce serait le général Sheridan qui aurait dit le premier : « The only good Indian is a dead Indian » (« Seul un Indien mort est un bon Indien »). Le premier président des États-Unis, George Washington, a comparé les Indiens aux loups : « Tous les deux sont des bêtes de proie, quoiqu'elles soient différentes dans leur forme. » Thomas Jefferson, l'auteur de la *Déclaration d'indépendance des États-Unis*, parle d'« Indiens sauvages et inhumains » et, au sujet des nations avec lesquelles le gouvernement états-unien est en guerre, il clame : « Nous les exterminerons toutes. » Même le président Roosevelt qualifiait les Indiens de barbares et de peuples de races inférieures, et voyait leur extermination comme une bonne chose. Le Canada et les États-Unis ont-ils déjà prononcé le mot « regret » au singulier ou au pluriel ? Oui, le gouvernement Harper l'a fait, comme il a reconnu le Québec en tant que nation. Dans les deux cas, une coquille vide ! La vraie question est de savoir si on a déjà fait quelque chose pour les aider à faire renaître leur culture ? Niet. Au Canada, on les a parqués dans des réserves qui ont souvent des allures de bidonvilles. Comme, au Canada, on connaît bien peu la culture québécoise, pas un Canadien anglais n'a entendu parler de Félix Leclerc qui disait que la meilleure façon de tuer un homme, c'est de le payer à ne rien faire. Eh bien, c'est exactement ce que le Canada fait avec ses Indiens. Les États-Unis n'ont pas eu ce loisir, car ils les ont presque tous exterminés.

Si les États-Uniens paraissent être collectivement une bande de crétins inconscients, il y a parmi eux des individus géniaux. Le groupe punk hardcore *Million of Dead Cops* en est un exemple. Au début des années 1980, ils ont composé une chanson intitulée *John Wayne Was a Nazi*, dans laquelle le groupe californien dénonçait la façon dont étaient traités les Indiens dans les films de John Wayne. Le groupe avait tort sur un point. John Wayne était pire que les nazis. Un jour, y aura-t-il quelqu'un pour dénoncer le film *Australia*, mettant en vedette Nicole Kidman, qui montre ce pays blanc comme neige ? Nicole Kidman est aussi fautive que l'était John Wayne d'avoir participé à ce film tendancieux.

D'après Bernard Assiniwi, qui a écrit *La saga des Béothuks*, il y avait une quarantaine de millions d'Amérindiens à l'arrivée de Jacques Cartier en Amérique du Nord. Hormis les missionnaires, qui n'ont pas fait que du bien aux Amérindiens, les Français vivaient avec eux dans une belle harmonie. Plus de 70 % des Québécois ont au moins un peu de sang amérindien, et je fais partie de cette proportion puisque j'ai une ancêtre nipissing. Les épidémies sont davantage responsables de la disparition de peuples amérindiens que le génocide perpétré par les colons anglais d'Amérique du Nord, mais ceux-ci ont tout fait pour décimer les Amérindiens. Les Anglais ont même eu recours à la guerre bactériologique — une première dans l'histoire de l'humanité — pour arriver à leurs fins. Le général Amherst détestait à ce point les Amérindiens qu'il les traitait de race de chiens. Il a mené une guerre bactériologique contre eux en distribuant aux alliés de Pontiac des couvertures infestées de petite vérole. Des centaines d'hommes sont ainsi morts comme des mouches. Amherst est une honte pour l'humanité, mais les Anglais en sont fiers. En effet, la couronne britannique l'a aristocratisé pour ses exploits, et une rue de Montréal porte son nom. Il a été fait chevalier de l'Ordre du Bain en 1761 et il fut titré, en 1776, baron Amherst de Holmesdale.

Pour réaliser leur sombre dessein, les colons anglais d'Amérique du Nord ont promulgué des lois favorisant la déportation d'Amérindiens dans des réserves : « Les Sioux, les Illinois, les Miamis, les Shawness furent ainsi conduits comme du bétail au-delà du Mississippi[10] [...] ». « Des 15 000 Cheyennes déportés, 4 000 meurent en chemin d'épuisement et de faim[11]. »

Il n'est pas facile de pratiquer la politique de la terre brûlée avec des nomades, mais les colons anglais d'Amérique du Nord l'ont fait en massacrant les bisons afin d'affamer les Sioux. « En 1870, il y avait entre 15 et 21 millions de bisons. En 1880, ils avaient presque disparu[12]. » Évidemment, pour glorifier cette épopée remplie de « bravoure », on a fait de Buffalo Bill, l'un des principaux acteurs de ce massacre, un héros.

De nos jours, le monde entier est choqué par la rage meurtrière et insatiable d'Israël à l'égard des Palestiniens, et il en a été de même lorsqu'ils s'en sont pris aux Libanais à l'été 2006. Les Juifs vengent la mort d'une poignée de leurs soldats par celle de milliers de Palestiniens. J'avais dit à la blague à un bon ami libanais : « Comme, pour Israël, le ratio est de mille pour un, si vous tuez 10 000 Israéliens, ils vont vous rayer de la carte ! »

Cette logique vindicative n'est pas d'aujourd'hui. « Little Crow tue cinq Blancs en 1862. En représailles, les chrétiens anglais condamnent à mort 500 Sioux et en pendent 38 devant une foule assoiffée de vengeance[13]. »

Parlons d'un autre héros, j'ai nommé le grand Benjamin Franklin. J'entends déjà les applaudissements bien nourris. Eh bien, détrompez-vous, car cet homme n'est pas celui que l'on pense. On le soupçonne même d'avoir ourdi le complot visant à assassiner Pontiac en 1767. Ce dernier, au-delà du fait qu'on ait donné son nom à une mar-

10. RICHARD, Guy, *L'histoire inhumaine*, Paris, Armand Colin, 1992, p. 222.
11. ROUSSEAU, Normand, *op. cit.*, p. 260.
12. *Ibid.*, p. 261.
13. *Ibid.*

que de voiture, est né vers les années 1720 et il a presque toujours été l'allié des Français. Après la bataille des Plaines d'Abraham et la mort de son ami Montcalm, il a décidé de pactiser avec les vainqueurs. Ce mariage fut de courte durée, parce que Pontiac, qui était le chef des Odawas, a été choqué par l'attitude méprisante des colons anglais et que ce dernier a cherché à former une alliance avec les chefs des autres nations afin de se débarrasser de l'oppresseur anglais. Pontiac aurait vaincu George Washington à deux reprises et il serait mort en portant la cape royale que Montcalm lui aurait donnée. Avant de mourir assassiné par un Péoria, il a tout fait pour sauver son peuple, mais il a terminé sa vie dans l'opprobre des siens : les Anglais ont réussi à salir sa réputation en répandant des faussetés à son sujet. Pour finir, cet homme d'une bravoure inégalée est malheureusement tombé dans l'oubli. Pourtant, on se rappelle parfaitement bien de son bourreau, ce bon vieux Benjamin Franklin, que l'on dépeint toujours comme un individu empreint de joie de vivre, de sagesse et de magnanimité. Cette citation décrit parfaitement le personnage : « La bière est la preuve que Dieu nous aime et veut que nous soyons heureux. » Hélas, derrière la bière, qui rend heureux, il y a l'alcool qui a aussi servi à anéantir les Amérindiens. Voici donc une citation beaucoup plus sombre du « gentil monsieur » : « Si c'est le dessein de la Providence d'exterminer ces sauvages pour faire place aux cultivateurs, il semble vraisemblable que le rhum soit le meilleur moyen d'y parvenir. »

À une certaine époque, on remettait des récompenses aux chasseurs de primes pour chaque scalp d'Amérindien. Si ce genre d'individus sans scrupules étaient prêts à s'entretuer pour un filon d'or, les tueurs d'Indiens formaient une confrérie harmonieuse, car des « sauvages » à tuer, il y en avait pour tout le monde. « L'acte génocidaire est global, total. Comme le disait Black Hawk, les Blancs ne scalpent pas la tête, encore qu'il leur soit arrivé de le faire : un scalp valait cinq dollars au Connecticut, « mais ils font pire, ils empoisonnent le cœur[14]. »

Les colons anglais ont-ils tué 5 millions ou 50 millions d'Amérindiens ? C'est dur à dire. Chose certaine, ils ont cherché à les exterminer de façon systématique. « La politique indienne des colonies, puis celle des É.-U., aboutit donc a un double résultat, la

---

14. RICHARD, Guy, *op. cit.*, p. 216.

quasi-élimination d'une race et l'éradication presque totale d'une civilisation. Ce fut, pour le dire ainsi, un « ethno-génocide[15]. » Cet acharnement à anéantir les Amérindiens s'étend sur trois siècles, soit sur les trois quarts de l'histoire de l'Amérique du Nord. Le Canada et les États-Unis ont commis le plus grand génocide de l'histoire de l'humanité et ils en sont fiers. Devant tant de mépris, je me prosterne… en vomissant, bien sûr.

Malheureusement, le Québec a aussi sa part de responsabilité dans ce génocide. Si les colons français d'Amérique ont longtemps entretenu des relations exemplaires avec les Amérindiens, leurs rapports avec eux ont changé après le Traité de Paris de 1763. En devenant colonisés, les Canadiens ont acquis des réflexes de colonisés, dont celui de regarder le monde par la même lorgnette que celle de l'oppresseur. C'est ainsi que des Canadiens sont devenus des Mange-Canayens et que les Amérindiens ont commencé à être perçus comme des ennemis. Au milieu du XXe siècle, le gouvernement du Québec a fait un tort irréparable aux Amérindiens en envoyant leurs enfants dans des pensionnats. D'ailleurs, les Premières Nations n'ont pas fini d'en vivre les séquelles. Pour ma part, je ne comprends pas pourquoi les indépendantistes québécois, dont je suis, n'ont pas fait plus pour les Amérindiens. Quant à moi, leurs luttes et les nôtres doivent être conciliées. Je rêve de refaire l'alliance avec nos alliés d'antan. Cependant, si je me fie à l'attitude raciste des Blancs de Sept-Îles à l'égard des Amérindiens, on est loin du but.

Les rapports entre les Québécois francophones et les Amérindiens sont en train de s'améliorer, mais il faut dire que la crise d'Oka, qui a éclaté en 1990, a eu son contrecoup. Selon moi, on s'est alors servi des Amérindiens, comme on s'est servi à d'autres moments des Canadiens français hors Québec, pour nuire aux Québécois. Les Anglais sont champions dans l'art de diviser pour mieux régner, c'est bien connu. Voici mon analyse des événements tels que je les ai étudiés dans *Le Manifeste des Intouchables*, publié en 1993 : « Quelques Mohawks s'opposent à la construction d'un terrain de golf qui serait situé sur des terres qu'ils revendiquent. Ils sont peu nombreux et très armés, mais le gouvernement du Québec n'intervient pas. L'échec de l'accord

---

15. *Ibid.*, p. 228.

du lac Meech survient, et, le lendemain, lors de la Fête nationale des Québécois, quelque 600 000 personnes marchent dans les rues de Montréal et réclament un Québec souverain. Durant plusieurs semaines, on laisse quelques voyous prendre le Québec en otage. Pendant ce temps-là, *La Presse* de Desmarais et les médias anglophones profitent de l'occasion pour salir le Québec. Ces articles sont repris dans le monde entier. On arrive même à faire croire aux gens que les Québécois sont les seuls responsables du génocide des Amérindiens[16]. » Rappelons-nous que, à cette époque, le premier ministre du Québec était nul autre que Robert Bourassa, que j'ai toujours perçu comme le roi des mous. Évidemment, ce peureux s'est caché, laissant ainsi les choses s'envenimer. « Puis, après avoir attendu que les Québécois commencent à vraiment douter d'eux-mêmes, les autorités fédérales ont décidé de régler la crise. Ils ont alors envoyé l'armée canadienne avec à sa tête un régiment francophone. Pour montrer que la situation était difficile, ils ont fait durer le conflit encore un peu. Puis, quand ils ont décidé que c'en était assez, ils y ont mis un terme rapidement. Et quelle fin hollywoodienne ! Les Québécois, qui veulent devenir souverains, se font libérer des Mohawks par l'armée canadienne, avec à sa tête un régiment de francophones fédéralistes[17]. » Résultat : les appuis à la souveraineté se sont mis à fondre comme neige au soleil.

Les Canadiens anglais ont-ils récompensé leurs alliés du moment, les Mohawks ? Le gouvernement fédéral a accordé moult concessions aux Amérindiens avec l'accord de Charlottetown, mais, comme le référendum de 1993 a rejeté cet accord, les promesses faites aux Premières Nations n'ont jamais été tenues. Et la cerise sur le gâteau : en septembre 2007, les États-Unis, l'Australie, la Nouvelle-Zélande et le Canada ont voté contre la déclaration de l'ONU sur les droits des peuples autochtones.

Les colons anglais de l'Amérique du Nord ont affiché la même fierté à l'égard du génocide acadien. Premièrement, ils ont inventé une expression banalisant ces atrocités, soit le « grand dérangement ». Quand on connaît les faits, on se rend compte qu'il n'y a pas de limite à leur hypocrisie ; on n'a qu'à faire un survol de l'histoire pour

---

16. BRÛLÉ, Michel, *Le Manifeste des Intouchables*, Montréal, Les Intouchables, 1993, p. 51-52.
17. *Ibid.*, p. 52.

le constater. Champlain fonde Port-Royal en 1604 ; le berceau de l'Amérique française se trouve donc en Acadie. Les Anglais détruisent la ville en 1607, mais les Acadiens la reconstruisent quelques années plus tard. Tout en demeurant un territoire français la majeure partie du temps, l'Acadie tombe aux mains des Anglais sporadiquement jusqu'en 1713, où, par le Traité d'Utrecht, la France cède définitivement l'Acadie à l'Angleterre. Les Acadiens refusent de prêter serment à la couronne britannique et de renier la religion catholique. Les colons anglais s'accommodent tant bien que mal de cette situation, mais la tension ne cesse de monter avec les années, et les tractations se multiplient. À un moment donné, le gouverneur Charles Lawrence et le colonel Robert Monckton convoquent tous les Acadiens pour leur annoncer une bonne nouvelle, à savoir qu'ils ont trouvé un compromis. Les Acadiens se rendent dans la joie au point de rencontre et, coup de théâtre, les Anglais mettent en œuvre leur funeste machination en déportant ces pauvres gens. Pour ajouter à leurs malheurs, on sépare les familles. En tout, 18 000 Acadiens sont déportés et 6 000 d'entre eux y laissent la peau, souvent dans des conditions atroces. Aucun Acadien n'a été déporté en Louisiane, mais 3 000 d'entre eux y ont trouvé une terre d'accueil hospitalière et ont décidé de s'y installer. En 1763, avec le *Traité de Paris*, les Acadiens sont autorisés à revenir dans leur pays ancestral, mais comme leurs terres ont été confisquées et données aux colons anglais, ils doivent s'établir sur la côte, sur des terres rocailleuses et peu fertiles.

Les Acadiens ont dû se battre et continuer à se tenir debout devant les injures, les insultes et les injustices. Et, aujourd'hui, dans ce beau Canada où le drapeau acadien flotte au-dessus du parlement du Nouveau-Brunswick, une province officiellement bilingue, il y a une ville qui s'appelle Moncton. Pas un petit village ! Moncton est la ville la plus peuplée du Nouveau-Brunswick et elle abrite la plus grande université acadienne. Encore aujourd'hui, en 2009, une ville porte le nom d'un génocidaire. Vous aurez remarqué que « Moncton » s'écrit sans le « k ». Eh bien, d'autres colons anglais d'Amérique du Nord en ont eu besoin pour former le KKK. Si le Canada anglais a baptisé une ville à la gloire d'un génocidaire dans le territoire même où vivent ses victimes, il faut s'attendre à ce qu'on baptise la capitale du territoire palestinien Olmert ou Sharon !

Pour vous, génocidaires du peuple acadien, j'ai écrit cette chanson :

Le génocide acadien

Dans leur ciel étoilé,
Il y a une étoile en moins,
Celle du drapeau acadien
Qui flotte toujours avec fierté.
Chaque guerre porte en elle
Son lot d'atrocités.
Mais ils ont dépassé les limites
Avec leur geste hypocrite.
Ils étaient sur la rive,
Des milliers à espérer
Que la bonne nouvelle arrive,
Mais le bateau les a emportés.
Sur la coque d'un navire, ils sont morts gelés.
Dans l'État de la Virginie, le gouverneur les a refusés.
Dans la cale du navire, ils ont trépassé.
Ceux qui ont voulu fuir sont morts exécutés.
Mes frères et sœurs déportés, je vous le dis :
Les Anglais ne l'emporteront pas au paradis !
Pour tous les crimes abominables qu'ils ont faits,
Les Anglais seront punis à tout jamais.
Dans leur ciel étoilé,
Il y a une étoile en trop.
Elle se trouve en Louisiane.
Ceux qui l'ont prise l'ont abîmée.
La Nouvelle-Orléans,
Une ville comme un écueil
Propice au recommencement.
Faut-il maintenant faire place au deuil ?
La force de la musique
Cadienne, créole et zarico
Saura-t-elle redonner
À la langue française sa gloire passée ?
Ils ont appelé ça le « grand dérangement ».

Tout pour banaliser ce triste événement.

Moi, j'appelle ça le comble de la perfidie.

J'attends encore au moins des excuses bien senties.

Et quand je dis « des excuses bien senties », je veux dire des centaines de milliards de dollars. Que ça fasse mal un peu ! En Russie, quand une personne te marche sur le pied, elle te demande de lui faire la même chose. Ça paraît bizarre, mais ça démontre au moins un sens du *fair-play*. Ce dernier mot a beau être anglais, mais, dans les faits, je ne vois nulle part cette qualité chez les anglophones, quels qu'ils soient.

Comme nous l'avons vu, les Anglais, les Canadiens anglais et les États-Uniens ont cette « générosité » de faire de salauds des héros. Ils ont vénéré et vénèrent toujours Jeffrey Amherst, le sublime inventeur de la guerre bactériologique ; Buffalo Bill, le bourreau des bisons et le fin stratège de la politique de la terre brûlée ; Benjamin Franklin, un méchant aux allures de géant ; et Robert Monckton, le grandiose inventeur de la purification ethnique. Maintenant, Mesdames et Messieurs, préparez-vous à applaudir avec un enthousiasme délirant l'inventeur des camps de concentration, Horatio Herbert Kitchener, dit Lord Kitchener. Transportons-nous en Afrique du Sud où ce remarquable héros s'est illustré. La première guerre des Boers y a fait rage de 1880 à 1881 et la seconde, de 1899 à 1902. « Même après de sévères défaites, les Boers ne concèdent pas la victoire et pratiquent la guérilla ; des commandos harcèlent constamment les Anglais. En 1890, Kitchener réagit brutalement et adopte une tactique de destruction systématique. Trente mille fermes sont détruites, le bétail est abattu et les civils, près de 120 000 Boers, sont internés dans des camps[18]. » « Le taux de mortalité chez les Boers atteignit des proportions effrayantes : 350/1 000 chez les adultes et, dans le seul camp de Kroonstad, la mortalité infantile s'éleva à 878/1 000, des chiffres supérieurs à ceux des camps nazis. C'est ainsi que 28 000 civils boers périrent, dont 22 000 enfants, soit 10 % de l'ensemble de la population[19]. »

À Montréal sévit une forme d'apartheid plus subtile, plus hypocrite que celle qui prévalait en Afrique du Sud, et si, par conséquent, il n'est pas surprenant de croiser une rue Amherst dans la métropole québécoise,

---

18. ROUSSEAU, Normand, *op. cit.*, p. 186.
19. LUGAN, Bernard, *Histoire de l'Afrique du Sud*, Paris, Perrin, 1995, p. 173.

il n'est pas plus étonnant d'y trouver une place commémorant la reine Victoria, où se trouve une belle et immense statue de ce monarque, qui représente l'époque la plus sombre de l'histoire de la Grande-Bretagne. « C'est sous son règne que les Anglo-Saxons affamèrent les Irlandais, réprimèrent les Patriotes du Québec, écrasèrent les Cipayes de l'Inde et les Boers d'Afrique du Sud, exploitèrent les Maoris et exterminèrent les aborigènes d'Australie[20]. » Normand Rousseau nous rappelle dans son livre que la reine Victoria a récompensé Kitchener en le faisant comte de Khartoum. Et le beau et gentil Canada a rebaptisé la ville de Berlin en Ontario — province où on a promulgué le Règlement 17, faisant de l'anglais la seule langue de l'enseignement — Kitchener.

20. ROUSSEAU, Normand, *op. cit.*, p. 382.

L'ANGLAIS NE SERA JAMAIS
LA LANGUE UNIVERSELLE

L'anglais n'est pas une belle langue. Les États-Uniens et les Canadiens anglais le parlent comme un chien qui jappe, et les Britanniques, comme un serpent qui siffle. Si vous avez l'audace de dire une telle chose à un anglophone, vous aurez alors l'occasion de le décontenancer. Je devrais pousser l'effronterie en disant que vous lui couperez le sifflet. En fait, les anglophones — qui semblent croire qu'il n'y a qu'une langue, l'anglais, et que tout le reste se résume à des dialectes, à des charabias ou à des langues presque mortes — mangent une méchante claque quand on leur dit la vérité au sujet de leur langue.

Le locuteur d'une autre langue maternelle, mais qui parle anglais tout en reconnaissant que l'anglais est laid, se portera toujours à la défense de l'anglais en disant que c'est la langue universelle parce que c'est la langue des affaires.

Voilà, je commence à m'énerver. Commençons par parler du Japon ! Mine de rien, on parle ici de la deuxième économie mondiale ! On s'entend bien là-dessus ? Je suis allé au Japon trois fois. Je peux vous dire que les étiquettes de tous les produits sont bilingues : japonais et anglais. Par contre, l'anglais, dans la rue, oubliez ça. Dites à une fille que vous la trouvez belle en anglais, et, la plupart du temps, elle vous dira en japonais qu'elle ne comprend pas l'anglais. Si ça peut vous amuser, croyez que ces Japonaises ont voulu se trouver un prétexte parce qu'elles ne m'ont pas trouvé assez beau. Je peux même rire avec vous. Ha ! Ha ! Ha ! J'ai le dos large et je suis capable d'en prendre.

Je n'ai jamais eu de discussions d'affaires en anglais avec un éditeur japonais. Certes, mon agent parlait anglais, mais il aurait pu parler le français ou le russe, et ça n'aurait eu aucune importance puisqu'il me servait d'interprète. La langue des affaires au Japon, la deuxième économie mondiale, c'est le japonais.

Le locuteur d'une autre langue maternelle, mais qui parle anglais, me dira que les Japonais pourraient se forcer un peu. Ou bien, il sortira ce bel argument que les Japonais sont xénophobes! Évidemment, il ne lui viendra jamais à l'esprit que ce sont les anglophones qui font preuve de mépris des autres ! Mais, pour revenir aux Japonais, ce n'est pas vrai du tout qu'ils sont xénophobes. À vrai dire, les Japonais sont francophiles. Les deux plus grandes chaînes de cafés ont des raisons sociales françaises, soit *Café de la Crié (sic)* et *Paris Baguette*. À cela, on peut ajouter les parfums, dont les Japonais et surtout les Japonaises sont friands et les fameux sacs Louis Vuitton, dont elles ne peuvent se passer.

L'italien, l'espagnol et l'allemand ont aussi la cote au Japon, mais pas l'anglais. Comme disait Caliméro : « C'est vraiment trop injuste ! » Si vous avez un McDo-cerveau et que vous n'aimez que les histoires à la Walt Disney, vous vous plaindrez aussi comme le pauvre Caliméro. Sinon, préparez-vous à un véritable film d'horreur.

« Dans la nuit du 9 au 10 mars 1945, 320 B-29 (6 tonnes de bombes chacun) font un raid incendiaire sur Tokyo en déversant 1 667 tonnes de bombes, répétant et dépassant ainsi le bombardement de Hambourg. Les Américains utilisent des bombes incendiaires ou au napalm, interdites par les Conventions de Genève. Les édifices et maisons de Tokyo sont faits de bois et de papier. Trente-trois kilomètres carrés de la ville sont incendiés, et 100 000 habitants sont brûlés vifs, sans compter les quelque 100 000 autres blessés. […] Le 17 juin, les cinq grandes cités du Japon ont perdu plus de 80 % de leur potentiel industriel[21]. »

Et puis, il y a eu l'horreur des horreurs : l'utilisation de la bombe atomique. Les bombardements d'Hiroshima et de Nagasaki ont fait plus de 350 000 morts. Les plus « chanceux » sont morts sur le coup, les autres ont agonisé durant des mois, voire des années, avant de rendre l'âme à cause des radiations.

« Bien sûr, comme toujours, les Américains ont donné une belle image à ce crime. D'abord, selon eux, c'était un exploit scientifique et

---

21. *Ibid.*, p. 305.

militaire. Harry Truman, président des États-Unis, premier responsable de ce crime sans nom, le qualifia « du plus grand événement de l'histoire. »

Harry Truman a présenté ce geste abominable comme un acte divin : « Nous remercions Dieu d'avoir mis la bombe entre nos mains plutôt qu'entre celles de nos ennemis ; et nous prions pour qu'Il nous amène à l'employer à Ses fins et comme Il le voudrait. » Comme dirait l'autre, c'est comme d'ajouter l'injure à l'insulte.

« Mais l'annihilation atomique des deux villes japonaises ne fut jamais une décision unanime. Durant les jours ayant précédé Hiroshima, des voix importantes s'élevèrent, qui estimaient que ce geste n'était pas nécessaire sur le plan militaire, que le Japon était disposé à capituler et l'avait même fait savoir[22]. »

Maintenant, comprenez-vous mieux pourquoi au pays du Soleil levant, on n'est pas férus de l'anglais et qu'on ne le sera jamais ? ! Qu'à cela ne tienne, j'ai toujours eu envie d'apprendre le japonais, une langue magnifique, afin de mieux comprendre un peuple distingué, courtois et raffiné. Rien à voir avec les États-Uniens, quoi !

Parlons maintenant de la Corée du Sud. Sachez que la Corée a été sous l'occupation japonaise de 1910 à 1945 et que les Japonais — aussi aimables et polis soient-ils — ont été de terribles impérialistes à l'égard des Coréens et ont tout fait pour éliminer la langue coréenne. *Naisen ittai* était le slogan officiel, c'est-à-dire « Japon et Corée, un seul » ; on voulait faire du Japon et de la Corée un seul corps.

Au lendemain de la Seconde Guerre mondiale, les États-Unis, vainqueurs contre le Japon, se sont présentés comme les libérateurs de la Corée, mais ils ont dû offrir à l'Union soviétique, l'autre grande gagnante de la guerre, une partie du pays. C'est ainsi que sont nées la Corée du Nord et la Corée du Sud. En 1950, la Corée du Nord a attaqué la Corée du Sud, et 1,4 millions de Coréens sont morts.

Depuis lors, les États-Unis ont signé une entente avec la Corée du Sud selon laquelle, en cas de guerre, les États-Unis prendraient le commandement suprême de l'armée sud-coréenne. Trente mille soldats états-uniens sont stationnés en Corée du Sud et bon nombre de Sud-Coréens voient la chose comme une occupation. Des cas de

---

22. SCOWEN, Peter, *Le livre noir des États-Unis*, Montréal, Les Intouchables, 2002, p. 55.

viols de Sud-Coréennes par des soldats états-uniens ont augmenté le sentiment «anti-états-unien» dans le pays.

En Corée du Sud, on ne parle pas beaucoup l'anglais et, en Corée du Nord, pas du tout. À Séoul, dans les taxis, il est possible de recourir gratuitement au service d'un interprète qui parle l'anglais. Là non plus, je n'ai jamais fait d'affaires en anglais, mais bien en coréen, grâce à un interprète. Il est à noter que la Corée du Sud est la neuvième puissance économique mondiale. Le jour de la réunification des deux Corées, la nouvelle Corée occupera probablement la cinquième ou la sixième place.

Faisons place aux économies émergentes, mieux connues sous le nom de BRIC (Brésil, Russie, Inde et Chine). Commençons par le Brésil, dont la population est de 180 millions de personnes. Il occuperait la huitième position des puissances économiques mondiales. Voici l'histoire de ce pays de 1961 à 1964, année d'un coup d'État militaire organisé de toutes pièces par la CIA[23] : «Jânio da Silva Quadros, ancien gouverneur de São Paulo, devint président du Brésil en janvier 1961. Il entreprit aussitôt une politique d'austérité économique. Puis, sans autre explication que l'évocation imprécise de "forces de la réaction" entravant ses efforts, Quadros démissionna en août 1961.

«Son vice-président João Goulart lui succéda. Mais cette succession ne se fit pas sans difficulté. Les militaires commencèrent par s'y opposer, accusant Goulart d'avoir de la sympathie pour le régime castriste cubain. Un compromis fut toutefois trouvé. La Constitution fut amendée de façon à confisquer la plupart des pouvoirs exécutifs du président en faveur du premier ministre et du gouvernement, responsables devant le Congrès. Goulart put entrer en fonction en septembre 1961.

«Au mois de mars 1964, quelques jours après s'être montré dans un meeting ouvrier, Goulart était renversé par un coup d'État militaire et devait fuir en Uruguay. Le chef d'état-major de l'armée, le général Humberto Castelo Branco devenait président de la République.

«En 1965, une loi réduisit les libertés civiles, augmenta le pouvoir du gouvernement et confia au Congrès le soin de désigner le président et le vice-président[24].»

Il faut savoir que le «maréchal Castelo Branco, le chef de la junte, et son éminence grise, le général Golbery do Couto e Silva, sont des

---

23. Central Intelligence Agency.
24. «Americas, un nouveau monde». http://www.americas-fr.com/histoire/bresil.html

alliés inconditionnels de Washington. Ils ont combattu avec l'armée américaine pendant la campagne d'Italie lors de la Seconde Guerre mondiale. Castelo Branco y a rencontré le général Vernon Walters, futur sous-directeur de la CIA, qui joua un rôle clé lors du putsch de 1964[25]. »

Le régime dictatorial a été au pouvoir jusqu'en 1985. Vingt et un ans de répression militaire et de censure, ça laisse des traces. Je suis allé plusieurs fois au Brésil, et rares sont les gens qui parlent un seul mot d'anglais. J'en profite pour dire qu'il en est de même partout en Amérique du Sud. Le Mexique fait figure d'exception, car il est vrai qu'on y parle un peu plus l'anglais, mais le sentiment anti-états-unien est aussi fort qu'ailleurs.

Parlons maintenant de la Russie. D'entrée de jeu, je dois admettre que je suis un russophile impénitent et que je parle couramment le russe. Sauf les plus jeunes, tout le monde se souvient que l'Union soviétique était l'ennemi numéro un des États-Unis. L'année 1989 fut marquée par la chute du communisme et du rideau de fer entre les deux Allemagnes, et, peu de temps après, Gorbatchev orchestra le démantèlement de l'URSS. L'hypothèse selon laquelle Gorbatchev aurait collaboré avec la CIA est très répandue en Russie, et je suis moi-même un tenant de cette théorie. Je crois que le démantèlement de l'Union soviétique était inévitable, mais pas à n'importe quel prix. Par exemple, la Crimée. On sait qu'elle a été offerte par la Russie à l'Ukraine par Nikita Khrouchtchev en 1954 pour commémorer trois cents ans d'histoire commune. Mais, en 1991, lorsque l'indépendance de l'Ukraine a été reconnue, pourquoi la Russie n'a-t-elle pas repris la Crimée, un territoire russophone dont la population est principalement composée de Russes ? Idem pour l'Est de l'Ukraine. Et que dire de Klaïpeda, autrefois Memel, ville allemande ! Si cette ville a été annexée à la Lituanie, c'est grâce aux Russes et non aux Lituaniens. Autrement dit, ce sont les Russes, et non les Lituaniens, qui ont vaincu les Allemands. Alors, pourquoi la Russie n'a-t-elle pas repris le contrôle de cette ville ?

Gorbatchev a laissé un héritage aux conséquences explosives, et les séquelles de ses gestes se font ressentir encore aujourd'hui. Les crises en Ossétie du Sud et en Abkhazie en sont des exemples. Il faut dire que

---

25. ROBIN, Marie-Monique, « Les États de sécurité nationale » (chap. XVIII), *Escadrons de la mort, l'école française*, Paris, La Découverte, 2004, p. 275.

Mikheil Saakachvili, le président de la Géorgie, a eu le culot d'attaquer ces deux républiques autonomes russophones parce qu'il est appuyé par les États-Unis.

Dans *Le Monde*, journal bien aligné sur la politique états-unienne, on s'inquiète de ce phénomène. « En faisant de la reconnaissance de l'autonomie des provinces russophones leur cheval de bataille, les Russes ont ouvert une dangereuse boîte de Pandore. Les chancelleries européennes craignent que la crise géorgienne, qui a démontré la faiblesse des démocraties occidentales, ne soit une porte ouverte à de nouvelles tentatives de redécoupages territoriaux. Le commissaire européen à l'Élargissement, le Finlandais Olli Rehn a averti : « L'Ukraine pourrait être la prochaine cible des pressions politiques de la Russie ». Une vision partagée par Bernard Kouchner, selon qui la Russie pourrait avoir « d'autres objectifs dont la Crimée, l'Ukraine, la Moldavie. [...] C'est très dangereux[26]. »

Personnellement, je suis pour toutes ces revendications territoriales, et, en ce qui a trait à la Moldavie, l'auteur aurait dû préciser qu'il s'agissait de la Transnistrie, qui est déjà une république autonome russe. Si je compare les minorités russophones des trois pays baltes aux Anglo-Québécois, il me semble évident que les Russes ont davantage appris les langues baltes que les Anglo-Québécois, le français. Cela s'explique peut-être par le fait que les majorités estonienne, lettonne et lituanienne sont beaucoup moins souples que les Québécois francophones.

Les Russes ne sont pas dupes non plus quant aux tractations des États-Unis en Tchétchénie. Certes, les États-Unis ne sont pas à une hypocrisie près et la super-puissance n'a aucun scrupule à appuyer militairement une république sécessionniste islamiste alors que les États-Unis font une guerre ouverte à l'Islam ! Et n'oublions pas que la guerre avec la Tchétchénie a causé des centaines de milliers de morts.

Gorbatchev ou pas, les États-Unis ont eu leur heure de gloire en Russie après la chute du communisme, mais la lune de miel est terminée. Certes, la gomme Orbit est omniprésente dans les publicités, idem pour les chips Lay's et le Coca-Cola : en général, la malbouffe

---

26. « Vers une nouvelle guerre de Crimée », *Le Monde*. http://lamouette.blog.lemonde. fr/2008/08/28/vers-une-nouvelle-guerre-de-crimee/).

traverse facilement la frontière. Heureusement, les Russes ne sont pas très friands de ces produits.

Ayant voyagé dans une cinquantaine de pays, j'ai rarement vu des gens aussi ouverts sur le monde que les Russes. En Russie, des milliers de cafés et de bars de Kaliningrad et de Vladivostok — je connais très bien les deux villes — sont branchés sur MCM, l'équivalent français de MTV. Ainsi, on entend les derniers succès français dans toutes les discothèques russes, de même que les derniers succès arabes, grecs, turcs, italiens, allemands, espagnols et, bien sûr, anglo-états-uniens. Contrairement à certains pays de l'ancien bloc soviétique comme les pays baltes, où l'on n'entend que de la musique anglophone, la musique russe est omniprésente en Russie.

J'ai fait des affaires en Russie et je les ai faites en russe, mais mon propre livre, *L'enfant qui voulait dormir*, pourtant traduit en plusieurs langues, n'a pas trouvé preneur, parce que le discours inhérent à ce conte est trop critique à l'égard du capitalisme. Les éditeurs traduisent très peu de livres qui ne sont pas d'édition originale anglaise ou états-unienne, et c'est pourquoi j'ai arrêté de faire des démarches de vente de droits dans ce pays. Malgré tout, je demeure très attaché à ces Russes fous et brillants. Lorsque je dis à mes amis qu'ils devront apprendre le russe s'ils veulent profiter pleinement de ce pays, je les refroidis un peu. Et hop, un autre pays de plus de 150 millions de personnes où il est très difficile de parler l'anglais ! Et n'oublions pas que la Russie fait partie du G8 et que ce pays a le potentiel pour se retrouver près des sommets de l'économie mondiale.

L'histoire, c'est bien connu, s'écrit de façon différente selon que l'on soit perdant ou bien gagnant. Selon le point de vue anglo-états-unien, Churchill est un homme d'État irréprochable, mais Normand Rousseau, dans son livre *L'Histoire criminelle des Anglo-Saxons*, nous le présente avec justesse d'une façon beaucoup moins flatteuse : « Winston Churchill ne déclare-t-il pas, en parlant des Kurdes et des Afghans, vouloir inspirer une "vive terreur" aux "tribus non civilisées". Ce grand barbare, qui passe pour un héros de la Deuxième Guerre mondiale et qui traitait Gandhi de fakir à demi nu, va ordonner le bombardement de Hambourg et de Dresde : 50 000 victimes minimum[27]. »

---

27. ROUSSEAU, NORMAND, *op. cit.*, p. 165.

Justement, Ghandi, « ce fakir à demi nu », disait à propos de la langue anglaise : « On esclavage les Indiens d'Inde en leur apprenant l'anglais[28]. »

Avant l'arrivée de Gandhi, l'Inde a beaucoup souffert du pouvoir colonial anglais. « En 1793, les pouvoirs du gouverneur général furent étendus à Madras et à Bombay et, en 1833, à toute l'Inde. À partir de ce moment, l'Angleterre s'arrogea le droit de légiférer pour toute sa colonie. [...] Bref, le peuple indien, comme tous les peuples colonisés par les Anglo-Saxons, ne jouissait d'aucun droit civique[29]. »

Comme les Bengalis et les Irlandais avant eux, les Indiens ont vécu la famine pendant qu'ils étaient sous la domination anglaise. « En 1899-1900, la grande famine du nord de l'Inde affecta 60 millions de personnes[30]. » Normand Rousseau exprime son ironie avec justesse : « [...] les Anglais auront ainsi développé une grande insensibilité à voir les gens mourir de faim. [...] La grande civilisation humanitaire anglo-saxonne était impuissante devant de tels désastres dont elle était en partie responsable[31]. »

Dans un article intitulé « Les langues de l'Inde », André McNicoll, rédacteur principal à la Division des communications du CRDI, Centre de recherches pour le développement international, nous explique la complexité linguistique de l'Inde : « La situation linguistique en Inde est ahurissante. D'après le recensement effectué en 1961, il existe 547 langues et dialectes au sein du seul groupe indo-aryen de l'importante famille linguistique indo-européenne à laquelle appartiennent le latin, le grec, les langues germaniques, romanes et autres langues européennes dans les frontières du pays. [...] Mais la situation linguistique est beaucoup plus complexe qu'une simple répartition des dialectes en "quatre familles". Lorsqu'une langue franchit les limites d'un État, elle est souvent transcrite de façon si différente qu'elle ne peut être lue par ceux-là même qui la parlent. [...] Des dialectes régionaux distincts sont également dérivés de certaines langues. Le hindi par exemple, se parle différemment comme langue maternelle à Delhi, à Rajasthan et à Bihar[32]. »

---

28. BRAGG, Melvyn, *op. cit.*, p. 250.
29. ROUSSEAU, Normand, *op. cit.*, p. 127.
30. *Ibid.*
31. *Ibid.*, p. 126-127.
32. McNICOLL, André, « Une multitude de voix : Les langues de l'Inde ». idrinfo.idrc.ca/Archive/ReportsINTRA/pdfs/v13n4f/110907.pdf

Une des stratégies les plus utilisées par le colonialisme anglais est de diviser pour régner. Les Anglais en ont fait leurs choux gras sur le plan non seulement politique, mais aussi linguistique. « Il faut porter au compte des Anglais les massacres entre musulmans et hindous. Pendant des siècles, les Anglais ont joué les religions les unes contre les autres ainsi que les royaumes et les castes[33]. » Ainsi, sur le plan linguistique, la prédominance de l'anglais durant la période coloniale a empêché les Indiens de se donner une langue commune. Voici les difficultés auxquelles les Indiens ont à faire face, aujourd'hui : « Une fois l'Inde devenue indépendante, les dirigeants du pays durent envisager la possibilité d'un chaos linguistique et imposèrent d'importantes restrictions constitutionnelles. La Constitution reconnaissait 14 langues officielles et désignait le hindi comme étant la langue courante au pays. L'anglais devait servir de langue "maillon" jusqu'en 1965, puis elle céderait officiellement la place à l'hindi, ce qui ne fut pas le cas. En 1965 donc, les États où l'on ne parlait pas hindi s'opposant fortement à l'adoption officielle de cette langue, il fut convenu de conserver l'anglais à titre de langue officielle[34]. » Cette situation n'est pas surprenante. Les Wallons et les Flamands de Belgique s'expriment souvent en anglais entre eux. Idem pour les Suisses francophones et les Suisses alémaniques. L'anglais est considéré comme une langue neutre. Quelle ironie !

De nos jours, l'anglais est toujours la langue de l'administration en Inde, mais il y a fort à parier que le hindi finira par s'imposer. « Le recensement de 1961 a révélé que 29 % de la population de l'Inde parlait hindi ; le recensement effectué 10 ans plus tard a démontré que 38 % de la population utilisait cette langue[35]. »

Je ne suis jamais allé en Inde, mais je suis allé deux fois en Chine. Sauf dans les hôtels, il est pratiquement impossible de trouver un Chinois qui parle bien l'anglais. Je dis souvent à la blague que les seuls Chinois qui parlent l'anglais, on les envoie au Québec !

Il va sans dire que l'expansion économique des Chinois tire ses origines d'une volonté de s'ouvrir sur le monde. Le temps où la Chine était communiste et repliée sur elle-même est révolu. En fait, la Chine n'a gardé du communisme que le nom. Il est évident que l'ambition

33. ROUSSEAU, Normand, *op. cit.*, p. 133.
34. MCNICOLL, André, *op. cit.*
35. *Ibid.*

dont font preuve les Chinois est motivée par une volonté de tirer un trait sur leur passé. Ils ont des comptes à régler avec les Anglais: «[…] les Anglais ne se sont jamais privés de traiter les Indiens et les Chinois en races inférieures. En Inde, ils se réservaient des fontaines qu'ils interdisaient aux Indiens, et, en Chine, on pouvait voir dans certaines villes des écriteaux "interdit aux chiens et aux Chinois[36]".» Bien sûr, les Chinois ont pris leur revanche avec la rétrocession de Hong Kong, mais on sent qu'ils ont encore beaucoup de choses à prouver. Leur ascension pour devenir la première puissance mondiale est-elle inéluctable? Probablement que oui. Par contre, les États-Uniens, qui ont pris le relais des Anglais, font tout pour ne pas que ça arrive. Je pense que les États-Unis sont prêts à tous les coups bas pour nuire à la Chine et qu'ils ont comploté les scandales du SRAS, de la grippe aviaire et du lait contaminé. Il faut se rappeler que la Chine a gagné le drapeau des Jeux olympiques de Pékin en devançant les États-Unis et que le scandale du lait contaminé a éclaté peu de temps après.

Bien qu'il existe en Chine plus de deux cents langues, le mandarin est bien installé comme langue commune. Voici le portait des principales langues du pays: le mandarin (*putonghua*) est parlé par 867,2 millions de Chinois, soit 68 % de la population chinoise; le wu est parlé par 87,1 millions de personnes, soit 6,7 % de la population chinoise; le cantonnais est parlé par 66 millions de gens, soit 4,1 % de la population chinoise; et le guangdong est parlé par 50 millions d'habitants, soit 3,9 % de la population chinoise. Avec ces quatre langues et les multiples dialectes qui en découlent, on couvre plus de 80 % de la population. «Rappelons que la Chine compte cinq régions autonomes "égales en statut à la province": la Mongolie intérieure, le Guangxi, le Tibet, le Ningxia (et) le Xinjiang ou Ouïgour. […] Cela étant dit, il faut comprendre que le statut de "région autonome" en Chine ne confère pas de pouvoirs particuliers aux minorités nationales[37].»

Dans la région autonome du Guangxi, le bilinguisme zhuang-mandarin est pratiqué, mais on sait que les Tibétains subissent beaucoup d'oppression de la part du gouvernement central, car près de 600 000 soldats chinois sont basés au Tibet. Cela dit, le vent de sympathie de la part de bon nombre d'Occidentaux ces dernières

---

36. Rousseau, Normand, *op. cit.*, p. 125.
37. «Données démolinguistiques». http://www.tlfq.ulaval.ca/axl/Asie/chine-2langues.htm

années pour le Tibet s'explique par une volonté de montrer la Chine comme un pays totalitaire et tyrannique. L'actrice Sharon Stone a fait scandale en affirmant que le tremblement de terre, qui a frappé la Chine avant les Jeux olympique de Pékin, était la conséquence du karma, qui punissait la Chine pour les méchancetés qu'elle fait subir aux Tibétains[38]. Loin de moi l'idée de ne pas reconnaître les exactions dont les Tibétains sont victimes, mais le jour où les Anglo-États-Uniens reconnaîtront leurs nombreux crimes contre l'humanité, j'irai manifester pour l'indépendance du Tibet en tenant évidemment pour acquis que, ce jour-là, le Québec sera indépendant et que, je l'espère, il fera une place de choix aux Premières Nations.

Mine de rien, comme nous venons de le voir dans ce chapitre, plus de la moitié des habitants de la planète seront toujours réfractaires à l'anglais pour des raisons historiques. La situation de l'Inde est toujours vague, mais celle de son voisin, le Pakistan, avec ses 160 millions d'habitants, ne l'est pas. La langue commune du pays est le panjâbî.

Si on observe la carte du monde en délimitant les pays favorables à l'anglais, on se retrouve avec un découpage carrément raciste de la planète. Hormis les pays anglophones, c'est en Europe de l'Ouest que l'anglais est le plus implanté et le plus valorisé. D'ailleurs, il y a chez certains Européens des caractéristiques qu'on retrouve chez les peuples colonisés. Chez les Allemands, où, il y a à peine une génération, on était réfractaire à l'anglais, la langue de Shakespeare est maintenant omniprésente. En Pologne, tout le monde s'est mis à parler l'anglais au cours des dernières années. Il s'y est vendu des livres de l'apprentissage d'anglais comme nulle part ailleurs. «Encore cette pression explicite n'a-t-elle pas toujours été nécessaire: le bilinguisme inégalitaire, chez la plupart des peuples dominés, dévalorise de lui-même, et finit par condamner la langue autochtone puisqu'elle est confrontée à un modèle économique et social que tout fait apparaître comme prestigieux[39].» On assiste à une sorte de néodarwinisme en Europe, qui place l'anglais et son locuteur comme supérieurs. «Si le darwinisme a connu un tel succès, c'est parce qu'il apportait, sur la base de l'héritage, les armes idéologiques de la domination de race aussi bien que de classe, et parce que l'on

---

38. «Sharone Stone fait scandale en Chine», *Le Point.fr.* http://www.lepoint.fr/actualites-monde/sharon-stone-fait-scandale-en-chine/924/0/248627
39. HAGÈGE, Claude, *Halte à la mort des langues*, Paris, Odile Jacob, 2000, p. 145.

pouvait aussi bien s'en servir en faveur de la discrimination que contre celle-ci[40]. » Le darwinisme a, en quelque sorte, légitimé l'impérialisme anglais; le néodarwinisme légitime l'impérialisme de l'anglais, mais il est absurde de voir que les principaux chantres de cette langue sont des non-anglophones, qui, en faisant la promotion de l'anglais tous azimuts, ne se rendent pas compte qu'ils agissent en colonisés et que leur propre langue s'en trouve alors menacée. « Les langues sont en concurrence pour se maintenir vivantes et n'y parviennent que l'une aux dépens de l'autre. La domination des unes sur les autres et l'état de précarité auquel sont conduites les langues dominées s'expliquent par l'insuffisance des moyens dont elles disposent pour résister à la pression des langues dominantes[41]. »

---

40. ARENDT, Hannah, *Les origines du totalitarisme: L'impérialisme*, Paris, Fayard, 1982, p. 102.
41. HAGÈGE, Claude, *op. cit.*, p. 27.

IL EST FAUX DE DIRE QUE LES FRANÇAIS ÉTAIENT AUSSI IMPÉRIALISTES

La France n'a jamais exercé l'hégémonie dont l'Angleterre et les États-Unis jouissent à l'égard du monde d'aujourd'hui. Il n'empêche que la France a été la référence culturelle par excellence pendant au moins trois cents ans, et ce, jusqu'à la fin du XIXe siècle. Les Français, par contre, avaient la mauvaise réputation d'être prétentieux et arrogants. On sait que Pouchkine et Dostoïevski maîtrisaient très bien la langue française et qu'ils intégraient tous les deux des mots ou des phrases en français dans leurs livres. Cet amour de la langue française n'égalait pas toujours celui des Français eux-mêmes. « À table, le petit Français tentait d'en imposer d'une façon incroyable ; il étalait son dédain et sa morgue sur tout le monde[42]. »

Certes, les Français étaient suffisants et se gargarisaient à n'en plus finir d'avoir du bon vin, du cognac, du champagne, les meilleurs fromages, la meilleure gastronomie, la plus grande littérature et les bonnes manières ; mais, sans excuser cette désagréable suffisance, il faut avouer qu'ils n'avaient pas tort. Encore aujourd'hui, la contribution de la France au monde demeure exceptionnelle. Malgré toute leur outrecuidance, les Français ont toujours su reconnaître des talents aux autres peuples et ils ont toujours été passablement ouverts sur le monde. C'est bien connu, les Français reconnaissaient que les Allemands étaient les maîtres incontestés de la philosophie et ils ont voué de l'admiration aux philosophes allemands, de Kant à Nietzsche en passant par Hegel. Alain Badiou, philosophe, professeur émérite à l'École normale supérieure, dramaturge et romancier, et qui publie souvent des articles dans le quotidien *Le Monde*, a écrit un texte intitulé « Panorama de la

---

42. POSTOÏEVSKI, Fédor, *Le joueur*, Arles, Babel, 1998, p. 8.

philosophie française contemporaine », dans lequel il rend hommage à la philosophie allemande. « Prenons deux exemples, deux moments philosophiques particulièrement intenses et connus. D'abord, le moment de la philosophie grecque classique, entre Parménide et Aristote, entre le Vᵉ et le IIIᵉ siècle av. J.-C., moment philosophique créateur, fondateur, exceptionnel et finalement assez court dans le temps. Puis nous avons un autre exemple, le moment de l'idéalisme allemand, entre Kant et Hegel, avec Fichte et Schelling, encore un moment philosophique exceptionnel, entre la fin du XVIIIᵉ siècle et le début du XIXᵉ siècle, un moment intense, créateur et, là aussi, dans le temps, un moment court[43]. »

Les Français n'avaient pas une moins bonne opinion de la musique allemande et de la musique austro-hongroise. Les Bach, Mozart, Liszt et Beethoven ont connu leurs heures de gloire en France. Les Français considéraient que la plus belle langue pour chanter de l'opéra était l'italien, suivie par l'allemand. Ironiquement, l'opéra le plus connu — *Carmen* de Bizet — est français, et le scénario se déroule en Espagne. Les Français ont toujours affirmé que leur littérature était la plus grande, mais j'ai déjà lu la préface d'un vieux recueil de nouvelles russes dans laquelle l'auteur, un Français, prétendait que la littérature russe était supérieure à la française. Même du côté de la gastronomie, les Français faisaient preuve d'ouverture en inventant le mot « viennoiseries ».

La France démontrait aussi de l'ouverture face aux autres langues. « Et en France même, il était hors de question, pour quiconque avait la moindre prétention aux lettres, de ne pouvoir lire dans le texte original l'*Orlando furioso* et la *Gerusalemme liberata*. L'hégémonie relative du français, qui pouvait dans la théorie de ses apologistes parisiens prendre un caractère méprisant et polémique, n'avait rien de menaçant ni de corrosif pour les autres langues d'Europe[44] ». Et pas seulement pour l'italien. « John Douglas rapporte que, lorsqu'il était à Paris dans les années 1740, il était entouré de compatriotes et entendait parler anglais dans tous les lieux à la mode[45]. »

---

43. BADIOU, Alain, « The Adventure of French Philosophy », *LacanDotcom*. www.lacan.com/badfrench.htm

44. FUMAROLI, Marc, *Quand l'Europe parlait français*, Paris, Éditions De Fallois, 2001, p. 155.

45. BEAUREPAIRE, Pierre-Yves, *Le mythe de l'Europe française au XVIIIᵉ siècle: diplomatie, culture et sociabilités au temps des Lumières*, Paris, Autrement, 2007, p. 102.

La Russie, l'Allemagne et la Turquie ont aussi été des puissances hégémoniques, mais ces pays étaient tournés vers le reste du monde. Pourquoi pensez-vous que la ville russe de Saint-Pétersbourg, fondée il y a un peu plus de 300 ans, porte un nom allemand? Pourquoi y a-t-il quelques milliers de mots français dans la langue russe? Pourquoi Vienne cherchait-elle à ressembler à Paris? Pourquoi la Turquie a-t-elle abandonné l'alphabet arabe pour adopter l'alphabet romain? Parce que ces pays faisaient preuve d'ouverture! Aujourd'hui, les Anglais et les États-Uniens ne regardent que leurs films, n'écoutent que leur musique et ne lisent que leurs livres. En 2006, j'ai publié, dans le défunt hebdomadaire en ligne *MIR*, un texte intitulé « Peuple à genoux devant la race supérieure », dont voici un extrait qui dit tout: « La liste de best-sellers du *New York Times* est la plus influente du monde. Dans des petits pays comme la Bulgarie, qui a soutenu comme un mouton la guerre en Irak, les éditeurs les plus prospères ne publient que des traductions de livres anglophones puisés dans cette liste composée d'auteurs uniquement anglophones. Dans la liste de best-sellers du *Times* de Londres du 24 septembre 2005, soit en pleine rentrée littéraire, il n'y a pas un seul écrivain non anglophone. Louis de Bernières (écrit sans accent grave sur le « e »!), l'auteur de *Birds Without Wings*, est né en Angleterre et il écrit en anglais. Qu'en est-il de la liste des best-sellers du *Globe and Mail*, le soi-disant plus prestigieux journal canadien? Que des anglophones, encore une fois! Maintenant, répétez cent fois sans vous étouffer de rire: « Le Canada est un pays bilingue ». Cela vaut-il la peine de jeter un coup d'œil à la liste de best-sellers d'un quotidien australien? Évidemment que non! »

À la lumière de ce que je connais de l'histoire de l'humanité, je suis en mesure de dire que les Anglais et les États-Unis sont les peuples les plus bornés et les plus ethnocentriques qui furent! Rien de moins!

LES IMMORALISTES DONNEURS DE LEÇONS

Avant les Anglais, il ne se trouvait en Inde aucun gouvernement pour encourager le mal qu'est l'usage de l'opium et en organiser l'exportation à des fins fiscales comme l'ont fait les Anglais.
GANDHI

L'opiomanie de l'Inde, en conjonction avec l'alcoolisme, a été l'un des moyens auxquels l'Angleterre a eu recours pour maintenir sa domination.
MARC FERRO

Aujourd'hui, les Bronfman jouissent d'une excellente réputation. Pourtant, ils ont fait fortune illégalement, en vendant de l'alcool aux États-Unis pendant la prohibition. Pensez-vous que les Bronfman passaient la frontière en décapotable? Eh bien non, ils avaient des camions blindés et traversaient la frontière en tirant à la mitraillette. C'étaient de véritables bandits! La même chose avec les Kennedy, dont l'argent a la même origine illicite. Aux États-Unis, ils sont perçus et traités comme une famille royale. Même Patricia Kaas a dédié une chanson à Rose Kennedy, la femme de Jos, le criminel, qui était aussi le père de John F.

« Les forces d'occupation en Afghanistan appuient le trafic de drogue, qui rapporte entre 120 et 194 milliards de dollars de revenus au crime organisé, aux agences de renseignements et aux institutions financières occidentales. [...] Le trafic de drogue du Croissant d'or, lancé par la CIA au début des années 1980, continue à être protégé par les services de renseignements US, en liaison avec les forces d'occupation de l'OTAN et l'armée britannique. Récemment, les forces britanniques d'occupation ont fait la promotion de la culture du pavot par des annonces de radio payées[46]. »

---

46. CHOSSUDOVSKY, Michel, « Réseau des traducteurs pour la diversité linguistiques ». http://www.tlaxcala.es/pp.asp?lg=fr&reference=2553, 29 avril 2007.

Oubliez les bons sermons puritains des présidents états-uniens, qui pourfendent la drogue. Si une drogue douce comme la marijuana n'est pas en vente libre, la raison en est simple : l'argent. Il en est de même pour les stupéfiants : « Si l'on se base sur les chiffres de 2003, la drogue constitue « le troisième plus grand produit mondial en termes de revenus après le pétrole et le trafic d'armes[47]. »

Selon le rapport de l'Observatoire géopolitique des drogues, rendu public en avril 2000, « ces ambiguïtés de la politique de Washington ne sont pas étrangères au fait qu'on n'observe aucune diminution des activités illicites, que ce soit au niveau de la production, des trafics, du blanchiment ou de la corruption. [...] Alors que l'industrie de la drogue, loin de dépérir, confirme qu'elle est l'un des piliers économiques de l'Amérique latine, sa répression fournit une excuse à la mise en place d'un appareil militaro-policier fort peu efficace mais de plus en plus violent[48]. »

Qu'on le veuille ou non, la mafia a réussi avec les années à pénétrer les gouvernements et leurs institutions. Sans dire que les banques font partie du gouvernement, il ne faut pas se surprendre que : « [...] le blanchiment de l'argent sale, lui, continue pour le plus grand profit des appareils bancaires américain et européen[49]. »

Au Québec, on a l'impression que nos gouvernements ont des préoccupations morales puisqu'on interdit la vente d'alcool dans les épiceries et dans les dépanneurs de 23 heures à 7 heures et que les corps de police combattent la vente de drogue en faisant réguliè-rement des saisies, mais un fait demeure : la mafia fait la pluie et le beau temps au sein de plusieurs institutions. Pourquoi pensez-vous que l'asphaltage d'un kilomètre de route au Québec coûte entre un et deux millions de dollars ? Qui d'autre que la mafia peut imposer des prix aussi disproportionnés ? Pourquoi pensez-vous que Montréal est la capitale nord-américaine des vols de voiture ? La réponse est que la mafia a infiltré nos gouvernements. Ainsi, l'argent qu'on dépense pour combattre la drogue n'est que de la poudre aux yeux.

---

47. *The Independent*, 29 Février 2004.
48. « Les Cahiers de l'Amérique latine », *Le Monde diplomatique*. http://www.monde-diplomatique.fr/cahier/ameriquelatine/drogue
49. *Ibid.*

Je suis pour la décriminalisation de la drogue, car, moins il y aura de secteurs d'activité pour la mafia, moins elle pourra être active. En ce sens, je lève mon chapeau aux Pays-Bas qui ont décriminalisé la vente et la consommation de la marijuana, de même que la prostitution. D'ailleurs, je ne comprends pas pourquoi les féministes du monde entier ne descendent pas dans la rue pour revendiquer la décriminalisation de la prostitution, car criminaliser la prostitution signifie encourager le proxénétisme.

Si l'hypocrisie mène le monde d'aujourd'hui et que les États-Unis sont les champions du «faites ce que je dis, mais pas ce que je fais», les Anglais ne se sont pas toujours souciés de sauver les apparences.

Voici comment les Anglais sont arrivés en Chine avec leurs gros sabots: «L'empereur de Chine avait interdit l'opium depuis 1779. Dès 1800, un édit impérial en interdit formellement le commerce. En 1839, l'empereur ferme Canton aux étrangers. Les autorités chinoises saisirent les caisses d'opium et arrêtèrent les contrevenants. Les Anglais ne purent supporter cette interdiction et, malgré l'opposition de Gladstone et de plusieurs Britanniques qui y voyaient une mesure immorale, lancèrent une expédition militaire pour imposer ce commerce aux Chinois[50].»

Et croyez-le ou non, les Chinois ont dû céder Hong Kong aux Anglais en compensation pour avoir détruit toute cette quantité d'opium, et ils ont même été forcés de leur verser des indemnités financières! Quand je pense aux témoignages des résidents chinois de Hong-Kong, qui regrettaient de se départir de la belle et grande civilisation britannique, j'en ai des frissons dans le dos!

---

50. ROUSSEAU, Normand, *op. cit.*, p. 145.

LE TABOU

Depuis mon premier voyage, alors que j'avais 19 ans, le sexe est un point de discorde entre les anglophones et moi. Ces tenants de la morale — ils le sont presque tous — ont toujours critiqué la liberté que je prenais de parler de sexe. Une Canadienne anglaise m'a déjà « accusé » d'avoir un pénis dans le front. Eh oui, même les femmes anglophones participent à cette morale hypocrite, et aucune d'elles n'osera dénoncer l'existence de viols collectifs sur les campus parce que ces actes barbares font partie de leur identité puritaine.

Je suis déjà allé dans une de ces fêtes universitaires qui s'est terminée, après mon départ, en viol collectif. Ayant étudié cinq ans à l'Université McGill, j'ai été mis au parfum de ces barbaries. Tout d'abord, ce qui m'a toujours le plus frappé chez les anglophones, c'est leur fascination pour la violence. Bien qu'on m'ait une fois ou deux craché un bon « Speak White » au visage dans ma jeunesse, je suis arrivé à McGill sans le moindre préjugé à l'égard des anglophones. Je voulais m'intégrer et me faire des amis. Alors que j'étais habitué à parler de filles avec mes amis francophones, avec les anglophones, parler de bagarres était le sujet le plus prisé. « La culture anglo-américaine s'inspire avec ferveur du meurtrier extraordinaire parce qu'il lui renvoie son image de société extraordinaire. Il évoque pour elle les échos de ses propres légendes, porteuses de valeurs intériorisées, où la violence a toujours tenu un rôle central, à la fois désirée et redoutée[51]. » Une des observations de Denis Duclos me semble fondamentale : « Mr Hyde finira toujours par avoir la peau du Dr Jekyll[52]. »

---

51. Duclos, Denis, *Le complexe du loup-garou. La fascination de la violence dans la culture américaine*, Paris, La Découverte, 1994, p. 18.
52. *Ibid.*, p. 156.

Lors d'une fête à McGill, la copine de mon amie m'a touché le pénis en plein centre de la piste de danse alors que son jules était à deux mètres de nous. C'est alors que j'ai compris — je le savais déjà depuis mes premiers voyages — que ces gens-là étaient bizarres. Cette fille-là m'a touché le pénis plus d'une fois, je ne savais plus où aller tellement j'étais mal à l'aise. J'ai déjà vu deux gars lancer une fille d'un balcon lors d'une fête à McGill. La fille s'est relevée et elle a rigolé.

Parlons d'une autre soirée. C'était à Fredericton. À l'origine, la ville s'appelait Sainte-Anne. Je sais que je me répète, mais ça fait du bien. Fredericton, une des capitales de la ceinture biblique néo-brunswickoise. Ça aussi, ça fait du bien à dire. Eh bien, dans cette ville, il y avait aussi des francophones et des Indiens Malécites ou Mi'kmaqs. Une minorité audible et une minorité visible. Les Acadiens savaient qu'il fallait se taire en français. Moi, Québécois, je ne l'avais pas appris.

La bière coulait à flots. On a commencé à jouer au jeu de la capsule. Le principe est simple : tu mets ta capsule sur le goulot de ta bouteille et les autres lancent leur capsule sur la tienne. Si ta capsule tombe, tu dois faire cul sec. Ces ivrognes barbares ou barbares ivrognes ne ratent presque jamais leur coup. Je suis parti de la fête après avoir fait un premier cul sec. Je trouvais ce jeu imbécile. Boire, c'est amusant ; être soûl, c'est chiant. Pour leur part, ils étaient trop soûls pour comprendre, et surtout ils avaient une autre idée derrière la tête.

J'ai revu une des filles le lundi matin. Elle était verte.

— Comment ça va ?

— Je préfère ne pas en parler.

Je la dérangeais. Comme je dérangerais la plus fervente des féministes anglophones. Car la plus fervente des féministes anglophones est fière d'appartenir à la race supérieure, et, dès lors, il lui est impossible de dénoncer quelque barbarie que ce soit. De toute façon, comment avouer l'inavouable ? Eh bien moi, qui ai vécu longtemps avec des anglophones, j'ose en parler. Les anglophones ressentent du dédain à l'idée de parler librement de sexe, mais quand ils sont soûls, tout bascule ! S'ensuivent les « petites violences » comme les bagarres ou les viols… collectifs. Peut-être que ça fait partie de la fête ! Combien d'anglophones m'ont dit qu'ils buvaient pour se soûler et pour perdre la carte ? D'ailleurs, au Québec, un accusé de viol s'est défendu en alléguant qu'il était soûl, et ça a marché.

LA TRICHERIE

Un mensonge ne peut jamais être effacé.
PAUL AUSTER

Parlons de la guerre hispano-états-unienne. « Le 23 janvier 1898, prétextant un climat délétère à La Havane, les États-Unis envoient le cuirassé Maine, qui explose le 15 février dans des circonstances troubles, provoquant la mort de 265 marins américains. Malgré les excuses de Madrid, les Américains déclarent la guerre à l'Espagne le 29 avril. […] Les États-Unis ouvrent aussitôt deux fronts maritimes. Aux Philippines, où l'amiral Georges Dewey anéantit par surprise l'armada ibérique dans le port de Manille, et à Cuba, où débarquent les *Rough Riders* de Roosevelt, tandis que la flotte de l'amiral Cervera est détruite dans le port de Santiago. La guerre n'aura duré que deux mois. Elle s'achève par le Traité de Paris, le 10 décembre 1898. Madrid cède aux États-Unis l'île de Guam, au cœur de l'archipel des Mariannes, Porto Rico, qui deviendra un territoire américain en 1917 et un État libre associé en 1947, et, bien sûr, les Philippines contre une indemnité de 20 millions de dollars[53]. » Je fais partie de ceux qui pensent que les « circonstances troubles » dans lesquelles le Maine a explosé résultent, en fait, d'un complot tramé par les États-Unis eux-mêmes. Autrement dit, les États-Unis ont fait exploser leur propre navire pour s'arroger le droit moral d'attaquer l'Espagne.

Voyons ce qui s'est passé à Pearl Harbor en 1945. Après les raids aériens des Japonais, qui ont fait 3 000 morts chez les soldats états-uniens, Washington a accusé l'armée nipponne d'avoir sauvagement attaqué ses bases militaires. Aujourd'hui, la majorité des historiens s'entendent

---

53. ROUSSEAU, Normand, *op. cit.*, p. 297-298.

pour dire que les États-Unis avaient tendu un piège aux Japonais en alignant tous leurs bateaux les uns derrière les autres et en espérant que l'armée nipponne morde à l'hameçon afin de se donner un prétexte pour leur donner une sévère raclée.

« En août 1964, la CIA monte une fausse attaque nord-vietnamienne contre un navire de guerre américain dans le golfe du Tonkin. Grâce à cette agression fabriquée de toutes pièces, le président Lyndon Johnson a enfin un prétexte pour attaquer les Vietnamiens. [...] Cette guerre fit 56 000 morts américains et deux millions de morts chez les Vietnamiens. Le bilan réel est beaucoup plus lourd et peut être estimé à près de deux millions de morts parmi les militaires et plus de cinq millions de tués, de blessés et de mutilés parmi les civils. [...] Cette guerre, qui dura de 1966 à 1973, un crime en soi, donna lieu à d'autres crimes comme l'utilisation du napalm et le massacre de villages de civils[54]. »

En 1991, la première guerre du Golfe éclate. Les médias occidentaux tentent de justifier cette intervention militaire en alléguant que l'Irak est la quatrième puissance militaire mondiale et que le pays représente un danger pour la planète. Washington et Londres s'unissent pour attaquer lâchement ce petit pays, qui, de toute évidence, ne peut pas se défendre, et détruisent Bagdad, une des plus belles villes du monde.

Le 11 septembre 2001, quatre avions de ligne sont détournés, trois d'entre eux se sont lancés contre des immeubles hautement symboliques : les tours jumelles du World Trade Center, à New York, et le Pentagone, siège du département de la Défense des États-Unis, à Washington. Les tours se sont effondrées moins de deux heures plus tard, entraînant le Marriott World Trade Center dans leur chute. Encore une fois, on parle de plus ou moins 3 000 morts. Fait étrange, quelques semaines après les événements, on ne fait plus mention de l'attaque à l'endroit du Pentagone. Avec les années, la thèse d'un complot est de plus en plus répandue. Au Québec, en 2006, Richard Bergeron, chef du parti Projet Montréal, ose affirmer adhérer à cette thèse et il se fait démolir par les médias. Aujourd'hui, la personne qui ne croit pas à cette thèse passe pour naïve. Mais pourquoi le gouvernement états-unien aurait-il fait sauter ces tours ? La raison est simple : les États-Unis sont menés par une oligarchie qui contrôle notamment l'industrie de l'armement.

---

54. *Ibid.*, p. 307-308.

Or, comme la guerre froide avec les Russes est terminée, il faut que les États-Unis aient un nouvel ennemi pour que le Sénat puisse dépenser un maximum d'argent en armement. Al-Qaida et l'Islam sont devenus ce nouvel ennemi, et le lobby des armes fait la fête! Saddam Hussein, qui était un ami des États-Unis, devient un ennemi, et on l'exécute. Le colonel Kadhafi de la Lybie était un ennemi et devient un ami. L'Albanie, le Kosovo et la Tchétchénie, trois États islamistes, sont amis des États-Unis. Trouvez l'erreur. La logique est pourtant simple: l'idée, c'est de faire du fric, peu importe les mensonges et la tricherie!

Nous venons de voir cinq exemples de manipulation de la part des États-Unis depuis 1898. Vous vous doutez bien qu'il y en a eu d'autres!

Parlant du 11 septembre, le 11 septembre 1973, ça vous dit quelque chose? Demandez à un immigrant chilien, si, lui, ça lui dit quelque chose? Eh bien, le 11 septembre 1973, les États-Unis ont soutenu le général Pinochet, qui a provoqué un coup d'État contre le président du Chili, Salvador Allende, qui se serait suicidé ce jour-là. Pinochet a, par la suite, instauré un régime de terreur, qui a duré de 1973 à 1996 et au cours duquel il a fait assassiner et torturer des milliers de personnes. La plus grande des ironies, c'est que Kissinger, le diplomate états-unien, qui a orchestré le coup d'État, a remporté le prix Nobel de la paix en 1973, la même année que le coup d'État! D'ailleurs, le prix Nobel est une institution ridicule, qui n'est plus là que pour rehausser l'image des États-Unis dans le monde.

PRIX NOBEL[55]
CHIMIE (1901-2005): É.-U. = 54 (RU = 25)
PAIX (1901-2005, dont 19 années où le prix n'a pas été décerné):
    É.-U. = 20
LITTÉRATURE (1901-2005): É.-U. = 10 (France = 14)
MÉDECINE (1901-2005): É.-U. = 89
PHYSIQUE (1901-2005): É.-U. = 79
ÉCONOMIE (1969-2005): É.-U. = 39

À l'époque de la guerre froide, l'URSS et les États-Unis se livrent une guerre féroce pour être le premier au classement des médailles aux

55.« Der Noblepreis ». http://www.nobelpreis.org

Jeux olympiques. À Montréal, en 1976, l'URSS remporte le drapeau des Jeux avec une récolte de 125 médailles, dont 49 d'or, et les États-Unis finissent troisième, devant l'Allemagne de l'Est, avec une récolte de 94 médailles. En 1980 et en 1984, l'URSS et les États-Unis s'échangent la politesse : les États-Unis boycottent les Jeux de Moscou en 1980, et l'URSS, ceux de Los Angeles, en 1984. Les États-Unis rêvent de venger leur contre-performance de 1976 en battant l'URSS aux Jeux olympiques de Séoul en 1988. Les résultats sont décevants. Les voici :

	Or	Argent	Bronze	Total
1. Union soviétique	55	31	46	132
2. Allemagne de l'Est	37	35	30	102
3. États-Unis	36	31	27	94

En 1992, conscients qu'ils n'ont aucune chance de gagner le drapeau des Jeux, les États-Unis s'inspirent d'Hollywood. Leur objectif est le suivant : si nous ne pouvons gagner le drapeau, nous pouvons au moins voler le spectacle. La stratégie états-unienne a fonctionné à merveille : la participation du Dream Team au Jeux olympiques de Barcelone en 1992 a éclipsé tout le reste.

En 1994, les États-Unis s'attendent à une récolte de médailles catastrophique. Hop, un petit coup de fil à Hollywood, et on attend le miracle. Eh oui, le fameux miracle survient ! Quelques mois avant le début des Jeux olympiques d'hiver de Lillehammer, on orchestre un scénario manichéen. Tonya Harding, une patineuse artistique états-unienne, aurait blessé une de ses rivales, Nancy Kerrigan, au genou. La méchante blesse la bonne. Quel beau scénario hollywoodien ! Et, par miracle, la bonne guérit juste à temps, et le monde entier est en émoi. Résultat : Nancy Kerrigan gagne la médaille d'argent, et Tonya Harding se recycle en actrice pornographique. Celle-ci est vraiment méchante jusqu'au bout ! Seule ombre au tableau : Nancy Kerrigan, reçue en reine aux États-Unis après son exploit, s'échappe en passant un commentaire désobligeant sur Walt Disney. Finalement, les États-Unis ont terminé en cinquième place avec une faible récolte de 13 médailles, dont six d'or, mais ils ont réussi à voler le spectacle.

Je suis sûr que vous êtes convaincus que je pourrais vous expliquer les manigances des États-Uniens lors des Jeux qui ont suivi celui de

Lillehammer, mais vous ne serez pas surpris que je ne perde plus mon temps à regarder ces stupidités. Dommage, M. de Coubertin, qui avez redonné vie au concept de Jeux olympiques au XIXe siècle, votre idée était pourtant bonne !

Demandez à des États-Uniens et ils vous diront qu'ils ont tout inventé. De l'automobile au cinéma en passant par le téléphone. Amédée Bollée, un Français, a fabriqué la première automobile en 1873, et ce sont les frères Lumière, et non pas Edison, qui ont inventé le cinéma.

Avez-vous déjà entendu parler de Charles Lindbergh ? Il aurait été le premier à avoir traversé l'Atlantique sans escale de New York à Paris. Pourtant, deux Français, Charles Nungesser et François Coli, ont réussi l'exploit douze jours avant lui, mais ils se sont écrasés quelque part à Terre-Neuve. Auraient-ils pu être victimes d'un tir de roquette ? Pourquoi pas ? Je lance l'idée comme ça.

On sait que les événements du 11 septembre 2001 étaient arrangés, mais personne n'a remis en question la pertinence de toutes les mesures de sécurité qui ont été instaurées depuis. Or, les ressortissants de pays plus ou moins amis des États-Unis doivent se soumettre à différents tests pour entrer dans le pays de l'oncle Sam, et les pays amis ont été contraints d'utiliser le papier Kodak pour leurs nouveaux passeports. Rien de moins ! Décidément, les États-Uniens ne se sont jamais gêné de voler le monde à grand échelon. Vous saisissez le jeu de mots ? Tapez le mot « échelon » pour voir.

LE MYTHE DE LA DÉMOCRATIE ET DU PARLEMENTARISME ANGLAIS

La Grande-Bretagne [...] n'a cessé de maintenir un distinguo entre la liberté sur son territoire national et l'autorité impériale à l'extérieur.
Noam Chomsky

Trente-trois pour cent des Québécois francophones ont voté pour le Parti libéral du Québec lors des élections du 8 décembre 2008. Ces fédéralistes sont convaincus que la Grande-Bretagne est un modèle et que ce grand pays a inventé la démocratie et le parlementarisme. Mais voyons un peu comment le parlementarisme a été instauré au Canada : « 1792 : Premières élections de l'histoire du Québec. La chambre d'assemblée du Bas-Canada, malgré le fait que la population soit française à 95 %, est formée de 35 Canadiens et de 15 Anglais. Jean-Antoine Panet est élu président de la chambre du Bas-Canada, en dépit de l'opposition britannique. Les deux groupes s'affrontent en chambre dès la première séance. Le gouverneur, à la demande des députés anglais, déclare que les textes de lois devront être rédigés en anglais[56]. »

« 1840 : Suivant les recommandations du rapport Durham, l'Acte d'union est adopté à Londres et unit le Haut et le Bas-Canada en une seule province : le « Canada-Uni ». Une seule assemblée législative fut accordée à la colonie avec 42 membres élus du Canada-Ouest (Ontario, 400 000 habitants) et 42 membres élus du Canada-Est (Québec, 600 000 habitants). Les dettes des deux colonies furent combinées malgré le fait que celles du Bas-Canada étaient beaucoup moindres. L'anglais devient la langue officielle de l'assemblée[57]. »

---

56. COUTURE, Patrick, « Le Bas-Canada, 1763 à 1867 », *Chez Couture, histoire du Québec et de l'Amérique française*. http://www.republiquelibre.org/cousture/BAS.HTM
57. *Ibid.*

La Confédération de 1867 n'a fait que marginaliser le poids du Québec encore plus. Le Québec est toujours seul contre neuf provinces anglophones. Aujourd'hui, le poids démographique du Québec par rapport au reste du Canada est inférieur à 25 %. Et il semble vouloir diminuer encore.

Une conclusion s'impose : le parlementarisme canadien est inique, et c'est la principale raison pour laquelle il existe au Québec un mouvement indépendantiste. Je me souviens d'avoir discuté avec un érudit suisse du nom de Michel Gallay, qui a immigré au Québec il y a une quarantaine d'années. Il me disait qu'il trouvait que les Suisses alémaniques exagéraient quand il vivait en Suisse, mais que, quand il s'est installé au Québec, il a commencé à trouver que, par rapport aux Canadiens anglais, les Suisses alémaniques étaient très souples et très généreux.

Revenons à cette intolérance canadienne-anglaise. Voyant que le Parti québécois de Jacques Parizeau a de bonnes chances de gagner les prochaines élections, qui auront finalement lieu le 12 septembre 1994, les fédéralistes commencent à évoquer la partition du territoire québécois. On parle notamment de la création du Duché de Pontiac. Quelle ironie quand on connaît l'histoire du grand chef amérindien ! Les fédéralistes ne se gênent pas pour tricher et voler le référendum de 1995. La preuve est faite et bien écrite noir sur blanc dans les livres *Le référendum volé* et *Les secrets d'Option Canada*. Alors, pourquoi ne pas concéder la victoire au camp du OUI et faire du Québec un pays ? Parce que le Canada n'est pas un pays démocratique, tout simplement.

Et je dirais même plus : le gouvernement libéral de John James Charest est illégitime. Voyez les chiffres : 95 % des anglophones ont voté pour le Parti libéral, 79 % des immigrants ont fait de même, alors que seulement 33 % des Québécois francophones les ont imités. Selon moi, il n'y a qu'en Ukraine et au Québec que la minorité contrôle la majorité (dans ce cas, russophone).

Je sais que beaucoup d'Italiens de Montréal, qui sont, pour la plupart, des anglophones, me fustigeront de tenir de tels propos, mais il faut leur rappeler que, dans leur pays d'origine, le droit du sang a prévalu sur le droit du sol jusqu'en 2006. Combien d'Italiens de Montréal sont prêts à dire que l'Italie n'était pas alors un pays démocratique ?

LE BILINGUISME À MONTRÉAL

Les parfaits bilingues se débrouillent en anglais
et s'embrouillent en français.
ALBERT BRIE

Je me retrouve dans un restaurant thaï de l'avenue du Mont-Royal à l'angle de la rue De Lanaudière. Habituellement, les employés, tous d'origine asiatique, maîtrisent le français. Bon nombre d'entre eux sont nés au Québec et ils parlent sans accent. Un jour, un préposé m'adresse la parole en anglais. Il est affable, mais je tiens quand même à lui faire comprendre que je veux me faire servir en français.

Je réponds donc du tac au tac et en parlant assez fort : « Je parle très bien l'anglais, mais jamais à Montréal. »

C'est à peine si les autres clients ne m'ont pas applaudi.

Je pars de cette anecdote pour commenter le très intéressant essai de Christian Dufour intitulé *Les Québécois et l'anglais. Le retour du mouton.* Je crois cependant que l'analyse du journaliste est erronée à certains égards parce qu'il tient pour acquis la véracité des statistiques, notamment en ce qui concerne le bilinguisme. « De façon générale, le niveau de bilinguisme chez les Québécois actifs apparaît plus élevé chez les anglophones (76,7 %) et les allophones (64,1 %), que chez les francophones de langue maternelle (48,4 %). Cependant, le pourcentage de bilingues monte à 64,3 % quand on considère les francophones actifs de la région métropolitaine de recensement de Montréal ; il grimpe à 72,1 % chez les francophones actifs qui résident sur l'île de Montréal, et à 79,1 % chez les cadres francophones des secteurs public et privé de la région métropolitaine de Montréal[58]. »

---

58. DUFOUR, Christian, *Les Québécois et l'anglais. Le retour du mouton*, Montréal, Les Éditeurs réunis, 2008, p. 69.

Les anglophones seraient bilingues à 76,7 % ! Mais vous voulez rigoler ? Moi, ce que je voudrais savoir, c'est leur niveau de bilinguisme. Le meilleur truc, c'est d'appeler chez Bell, où il y a beaucoup d'anglophones bilingues. Eh bien, pour la plupart, leur niveau de français est pitoyable. Et puis, parlez-en à une serveuse ou à un barman d'un bar du Plateau. Selon leurs témoignages, il n'y a qu'une infime minorité d'anglophones qui font l'effort de prononcer quelques mots de français.

Des exemples d'intolérance, j'en ai des tonnes. En voici quelques-uns. Mon père parle l'anglais presque sans aucun accent. Une fille lui demande s'il a un accent pendant que tous les deux sont en train de danser un slow. Il répond qu'il a un accent français. La fille s'en va sur-le-champ.

Mireille Roy, une directrice artistique, me raconte que, lorsqu'elle était jeune, ses parents se sont acheté une maison dans l'ouest de la ville de Montréal. Eh bien, toutes les semaines, des gens lançaient des œufs sur leur terrain.

J'entre dans un dépanneur de l'avenue Ogilvy dans le quartier Parc-Extension (beau nom français), et un quinquagénaire, probablement d'origine jamaïcaine, parle au téléphone en anglais. Je vais prendre un carton de six bières dans le réfrigérateur et je le dépose sur le comptoir à côté de la caisse en me dépêchant de dire « bonjour » pour être servi en français. L'homme réplique en anglais et quand je réponds « pardon » en français, il rétorque en anglais. Je suis parti sans les bières.

Je vais chez le même nettoyeur — les Français disent « pressing » — depuis des années. Les propriétaires, des anglophones d'une quarantaine d'années, sont frère et sœur. Bien sûr, tous les deux parlent français, mais on voit que ça les contrarie de s'exprimer dans la langue de Molière. Un jour, je me suis permis de faire l'éloge de la langue française à la frangine en lui faisant remarquer que 95 % de sa clientèle était francophone. La « pilule » a assez bien passé. À un autre moment, la propriétaire est en train de sermonner une de ses employées derrière le comptoir. Je me dis à moi-même que ce serait plus respectueux de faire ça dans l'arrière-boutique. La quadragénaire s'adresse à son employée en anglais, mais cette dernière répond en français. Quand elle finit ses réprimandes, je lui lance un sourire et je lui dis que je viens d'avoir la preuve que *Le Journal de Montréal* avait raison avec sa série de reportages sur la difficulté de travailler en français à Montréal. Que j'aie eu le sourire ou pas ne change rien, la dame s'enflamme en me disant que c'est la deuxième fois que je lui fais une remarque au sujet du français — la pilule n'avait pas passé —, que je peux bien aller chez le diable et qu'elle a le droit de parler anglais dans sa boutique si elle le souhaite. Je vous ferai remarquer qu'elle m'a dit tout ça en français, mais je n'ai quand même jamais remis les pieds dans son commerce.

Les deux incidents précédents, ainsi que le suivant ont eu lieu le 22 septembre 2008. Je suis devant mon bureau du 4701, rue Saint-Denis à discuter avec une de mes employées. À côté, il y a un magasin de meubles, dont le propriétaire est un Juif séfarade francophone très rigolo, qui fait des affaires d'or avec les coussins et matelas de marque *Fatboy*. Un couple de quadragénaires descend d'une voiture immatriculée au Nouveau-Brunswick. En voyant les gens s'apprêter à entrer dans le magasin sans mettre d'argent dans le parcomètre, je les avertis que les employés de Stationnement Montréal sont sans cesse aux aguets et leur conseille de bien nourrir la machine à sous. L'homme me regarde comme si j'avais commis une hérésie en lui adressant la parole en français. Sa femme, une Acadienne, lui traduit servilement ce que je viens de dire, et il va immédiatement acquitter la somme exigée. La femme me remercie, un peu mal à l'aise, et entre dans le magasin. L'homme repasse devant moi sans même me regarder.

Enfin, un dernier exemple, qui est survenu sur le Plateau. Je fais un petit spectacle pour commémorer le lancement de mon premier album intitulé *Tu zappes ta vie*, le 31 janvier 2008 à la salle O Patro Výš, sise sur l'avenue du Mont-Royal, en plein cœur du Plateau. Vers 21 h 30, un groupe de personnes m'invite à venir les retrouver au *940*, un restaurant situé à quelques pas de la salle de spectacle. Une trentaine de personnes m'attendent, et tout le monde m'applaudit en me voyant arriver. J'ai tout de suite l'idée d'offrir une tournée de cul sec de vodka. Je demande au serveur combien coûte le petit verre. Il me répond « 4,75 $ ». Aïe ! C'est très cher ! Je demande à parler au gérant. Ce dernier s'avance. Je lui adresse la parole en français, mais ce dernier me répond sèchement à deux reprises : « English, English » et il s'en va. C'est à croire que le nom de la langue de Shakespeare vient du mot « haine ». Cela dit, je suis vraiment courroucé. Je prends alors deux assiettes, du genre qu'on paie douze pour une piastre au Dollarama, et je les casse l'une après l'autre. Certains trouvent mon geste héroïque, et d'autres sont bouleversés. De mon côté, je suis très détendu.

Trois voitures de police arrivent très rapidement. Très calme, je lève la main en voyant les policiers — ils sont six ! — en disant : « C'est moi ! » Je raconte ce qui s'est passé à un des policiers, et ce dernier m'explique que je pourrais être accusé de voie de fait et que je pourrais ainsi avoir un dossier criminel, ce qui m'empêcherait de voyager. Je lui dis que je suis très fier du geste que j'ai posé. Finalement, un policier m'annonce que le magnanime gérant ne portera pas plainte et que, dans toute sa mansuétude, il accepte que je demeure dans son restaurant pourvu que je ne casse plus d'assiette. Je choisis de quitter l'endroit. Seules cinq autres personnes me suivent.

À l'ère de la rectitude politique, on entend très peu l'expression raciste « Speak White ». Aujourd'hui, on se fait plutôt servir à Montréal : « Sorry, I don't speak French », ce qui revient carrément au même. Quand un anglophone vous répond qu'il est désolé de ne pas parler français, il n'exprime pas du dépit, mais bien du mépris.

Christian Dufour affirme qu'il ne faudrait pas trop encourager l'apprentissage de l'anglais chez les Québécois francophones : « Qu'on le veuille ou non, il n'y a parfois pas de meilleur défenseur d'une langue que celui qui n'a pas d'autre choix que de l'imposer, car il n'en connaît pas d'autres[59]. » Il est évident que Dufour a raison. À Québec, la seule langue de communication est le français, et ce, pour deux raisons : *primo*, les gens de Québec parlent toujours français entre eux et, *secundo*, ils maîtrisent mal l'anglais. Cela dit, je suis tout à fait pour que tous les Québécois francophones parlent l'anglais. Je propose simplement que les gens agissent comme je l'ai fait au restaurant thaï. Les Québécois francophones devraient imposer le français à Montréal. Pourquoi ? Parce que les trois quarts de l'Amérique du Nord étaient contrôlés par des colons français et des Amérindiens, nos ancêtres, il y a à peine 250 ans. Aujourd'hui, le Québec représente moins de 2 % de la population nord-américaine. On mérite au moins ça ! Et soyez sûrs d'une chose, si l'anglais devient la langue de Montréal, le reste du Québec va basculer.

Le titre de l'ouvrage de Dufour est très bien choisi. Je ne sais pas si mon comportement au restaurant thaï sera porté en exemple, mais, pour le moment, les jeunes Québécois francophones semblent aller

---

59. *Ibid.*, p. 64.

dans la direction contraire. « Les jeunes Québécois adoptent cette attitude très conciliante envers l'usage de l'anglais pour différentes raisons. D'abord, ce qui est important pour eux, c'est l'efficacité de la communication, c'est de bien se faire comprendre. Pour plusieurs, la manière la plus efficace d'obtenir le service voulu est d'utiliser la langue de l'autre et d'opter pour l'anglais, « sans trop faire d'histoire[60]. »

Comment, dans ce cas, apprendre l'anglais ? Évidemment, je ne suis pas du tout d'accord avec la position du premier ministre anglophone du Québec, John James Charest : « Pour sa part, le gouvernement libéral de Jean Charest impose depuis septembre 2006 l'enseignement de l'anglais aux écoliers québécois dès la première année[61]. »

La priorité est de bien enseigner le français. En tant qu'éditeur, je reçois mille manuscrits par année, et, dans la plupart des cas, la qualité du français des apprentis écrivains est tout à fait pitoyable.

Je l'ai déjà dit, je parle couramment huit langues. La seule façon d'apprendre une langue, c'est par l'immersion. Étant donné que les deux dernières étapes du cinquième secondaire ne sont pas considérées pour l'admission au Cégep, je propose qu'on se serve de ces mois pour bien enseigner l'anglais à nos jeunes, et ce, à l'aide de programmes d'échanges. Je propose aussi qu'on offre d'autres programmes d'échanges à ceux qui parlent déjà l'anglais pour qu'ils apprennent d'autres langues.

En terminant, je suis convaincu qu'il faut se méfier des statistiques qui laissent croire que les Anglo-Québécois se sont vraiment mis à apprendre le français. En ce sens, il est encore une fois très pertinent de citer l'excellent livre de Normand Rousseau : « L'Anglo-Québécoise Gretta Chambers réagit en bonne colonisatrice : "L'idée de légiférer sur l'emploi de la langue est complètement étrangère à la culture politique anglo-québécoise et elle le sera sans doute toujours, peu importe qu'elle soit justifiée ou non". Voilà une universitaire complètement ignorante, ou qui le fait semblant, des lois linguistiques anglo-saxonnes aux États-Unis et ailleurs qui imposent et ont imposé l'anglais par la force de la loi. Ce qui est surtout dans la culture anglo-saxonne, Madame Chambers, c'est d'écraser les autres langues, même parmi les plus importantes comme le français. Cette chère dame n'a donc jamais entendu parler

60. *Ibid.*, p. 26.
61. *Ibid.*, p. 57.

des 12 lois anti-français adoptées dans sept provinces du Canada, dont certaines, comme le Règlement 17, qui interdisaient carrément l'usage du français[62]. »

Le *Hour*, un magazine anglophone distribué gratuitement à Montréal, a lancé un appel à ces lecteurs pour qu'ils identifient ce qui était, selon eux, le plus caractéristique de la ville. Vous ne serez sûrement pas surpris d'apprendre que l'anglais passait avant le français. Quand les fédéralistes essaient de nous endormir avec le prétendu bilinguisme des Anglo-Québécois, je suis convaincu d'une chose, c'est que ceux-ci rêvent du jour où le Québec sera anglophone. Ce qui se passe en Irlande du Nord nous rattrapera peut-être un jour. « Une motion a échoué pour interdire le gaélique aux ministres nord-irlandais. Il s'agissait d'une proposition du Parti Unioniste d'Ulster (Ulster Unionist Party, UUP) pour que le gaélique ne puisse pas être utilisé par les ministres à l'Assemblée, "preuve de l'intolérance anti-irlandaise" selon le parti Sinn Féin[63]. »

Entre-temps, il y a le facteur démographique qui joue contre Montréal, ville francophone. « En 1999, Marc Termote avait bel et bien prédit la minorisation du français dans les foyers montréalais. Mais le scénario qu'il prévoyait pour 2021 s'est réalisé 15 ans plus tôt. Ainsi, même le scénario le plus pessimiste du démographe s'est révélé plus optimiste que la réalité exposée par le recensement de 2006. Dans son étude finalement rendue publique par l'OQLF (Office québécois de la langue française), le démographe persiste et signe en observant que si la tendance se maintient, l'avenir du français à Montréal est menacé[64]. »

Rares sont les historiens canadiens anglais, qui présentent l'histoire du Canada de façon honnête, mais D. Peter MacLeod fait partie de ceux-là. Dans son livre, *La vérité sur la bataille des plaines d'Abraham*, il insiste sur le fait que les Anglais étaient prêts à tout pour arriver à leurs fins et que c'est là que s'est joué le sort de l'Amérique. Or, aujourd'hui, l'avenir du Québec ne se décide pas dans la Vieille-Capitale, mais à Montréal. Les Anglo-Québécois ne rêvent que d'une chose : prendre le contrôle de la métropole québécoise. S'ils réussissent, ils ne feront qu'une bouchée du reste du Québec.

62. ROUSSEAU, Normand, *op. cit.*, p. 331.
63. PESKINE, Laure, « Interdit de parler gaélique en Irlande du Nord », *Eurominority*. http://www.aplv-languesmodernes.org/spip.php?article859
64. ELKOURI, Rima, « La langue de Montréal », *La Presse*, 14 janvier 2009.

Quand je dis que les Anglais et les États-Uniens ont perpétré les pires atrocités de l'histoire de l'humanité, beaucoup me répondent que ce sont plutôt les Russes. Écoutez, les amis, Staline n'était pas Russe, mais bien Géorgien. Certains prétendent qu'il était même Juif. Par ailleurs, je veux porter à votre attention un article sur les Russes des pays baltes. « Chacun des trois pays baltes possède sa propre langue. Néanmoins, en complément du lituanien, du letton (langues baltes) et de l'estonien (langue finno-ougrienne), il y a une quatrième langue qui fait partie du quotidien des États et des peuples de cette partie de l'Europe : le russe. [...] L'une des conséquences de ces chiffres est le bilinguisme qui atteint des records en Lettonie : selon le sondage Eurobaromètre précédemment cité, 95 % des Lettons parlent une autre langue que le letton, cette langue étant évidemment très souvent le russe, même si l'anglais tend à le supplanter ou à s'y additionner chez les jeunes[65]. » Si, chez les jeunes Lettons de langue maternelle lettone, l'anglais est en voie de supplanter le russe, il semble évident que les Russes de Lettonie parlent tous le letton. Ce qui me fait dire que ces grands impérialistes du XXe siècle sont beaucoup plus flexibles que les anglophones, où qu'ils soient.

---

65. PESKINE, Laure, « La langue russe dans les pays baltes : un lent déclin », *Nouvelle Europe*. http://www.aplv-languesmodernes.org/spip.php?article958

LES ANGLOPHONES ONT TOUJOURS RAISON, MÊME QUAND ILS ONT TORT

Parlons d'abord de la conduite à gauche. « On peut estimer que le tiers de la population mondiale vit dans des pays où les automobilistes conduisent à gauche, essentiellement d'anciennes colonies britannique (même si l'Indonésie, la Thaïlande et le Japon, qui n'en furent pas, conduisent à gauche et qu'au Canada, on conduit à droite). On retrouve, en Europe, le Royaume-Uni, l'Irlande, Malte, Chypre et les îles Anglo-Normandes (toutes des îles et anciennes possessions britanniques[66]) [...] »

Loin de moi l'idée de dire que la conduite à droite surpasse la conduite à gauche, j'aurais trop peur d'offusquer mes amis japonais. Cependant, si on regarde l'évolution de la communauté européenne, on voit que la majorité des pays ont mis de l'eau dans leur vin. La Suède est passée de la conduite gauche à la conduite à droite en 1967, et l'Islande, en 1968.

Les Français ont abandonné progressivement le phare jaune en 1993. « Pour la petite histoire — et parce qu'elle est quand même amusante — les phares jaunes sont longtemps restés une spécialité française, une exception culturelle d'une certaine manière... L'adoption par la France des phares jaunes ne doit rien au hasard. Cette mesure prise en 1936 répond à un besoin de l'armée française. Celle-ci doit, en effet, pouvoir identifier l'arrivée d'une colonne ennemie. Les phares des véhicules allemands sont blancs... les phares français seront donc jaunes[67]. » Depuis 1993, les phares blancs sont permis en France, et les phares jaunes sont maintenant de plus en plus rares.

---

66. *Wikipedia.* http://fr.wikipedia.org/wiki/Circulation_%C3%A0_gauche/droite.
67. LEDALL, Jean Baptiste, « Phare blanc, phare jaune : le changement de réglementation de 1993 », *Le Blog droit automobile.* http://www.droitautomobile.com/article-5847300.html

Les Allemands ont repeint tous leurs véhicules de police en bleu — ils étaient verts jusqu'en 2008 — pour faire plus européen.

Pourquoi donc, dans ce contexte d'Union européenne, les Britanniques et les Irlandais ne font-ils pas comme les Suédois et les Islandais ?

Vous me direz : « Pourquoi les Britanniques ne font-ils pas comme les autres Européens en adoptant l'euro ? » Ils sont bornés, que voulez-vous !

Abordons maintenant la question du système métrique. En fait, elle a connu son dénouement en 1995, quand la Communauté économique européenne a contraint l'Angleterre à abandonner son système de mesures pour le système métrique. Ça leur en a pris, du temps ! Écoutez, non seulement le monde entier utilise le système métrique, mais il faut reconnaître que ce système d'unités de mesure est infiniment supérieur au système impérial. Imaginez, au lieu de compter en millimètres, avec le système impérial, on doit compter avec des trente-deuxièmes de pouce !

On l'a vu, les États-Unis ont pris le relais de l'Angleterre en tant que puissance impériale. Et si les Britanniques ont finalement abandonné le système impérial en 1995, il n'en est pas du tout de même pour les États-Uniens. Pourquoi les États-Unis n'adopteraient-ils pas un système d'unités de mesure qui a aujourd'hui cours dans le monde entier ?

Et, enfin, enfin, pitié ! Le football s'appelle « football » partout. Sauf aux États-Unis, au Canada et en Australie, où l'on parle de « soccer ». Les États-Uniens ont ce raisonnement : « *football* égale football ; il n'y a qu'un football, le nôtre. » Pourtant, il y a aussi le football canadien. Pourquoi les États-Uniens ne feraient-ils pas de différenciation entre le football, le football canadien-anglais et le football états-unien ? La disparition du terme « soccer » serait souhaitable.

ROCK

Un jour, j'ai rencontré une trentaine de jeunes Allemands dans un hôtel de Moscou. J'ai été choqué de voir que ces pauvres incultes n'écoutaient que de la musique anglophone.

— Oui, mais, en Allemagne, on n'a pas de tradition musicale, a lancé l'un d'eux.

— C'est vrai que Bach, Beethoven, Schubert et Mozart (ces deux derniers sont Autrichiens), c'est assez minable. Dans deux mille ans, les humains n'écouteront pas ces merdes. Ils préféreront les Beatles, Madonna et Michael Jackson.

Je venais de frapper dans le mille. Les jeunes étaient bouche bée. Jusqu'à la prochaine chanson hip-hop, bien sûr…

Écoutez, mes amis allemands, qui a inventé le rock si ce n'est pas Beethoven et Wagner?

Et Stravinsky, un Russe, a aussi eu son mot à dire dans l'évolution de cette musique.

Arrêtez d'agir en colonisés et de penser que les Anglais et les États-Uniens ont tout inventé. Cela dit, il est vrai que les Anglais et les États-Uniens ont énormément contribué à la musique rock et j'adore une bonne partie de leur musique. Cependant, je trouve que l'allemand se prête beaucoup mieux à cette musique que l'anglais.

POLITESSE ET FAMILIARITÉ

La politesse est la grâce de l'esprit.
HENRI BERGSON

Selon moi, l'amitié, c'est comme faire la fête. Si on fait toujours la fête, ce n'est plus la fête. De la même manière, si tout le monde est ami, personne ne l'est vraiment. Ainsi, quand un États-Unien me demande de l'appeler par son prénom, je ne vois pas ça comme une marque d'amitié. Surtout quand je sais pertinemment que Larry, Paul ou Peter me répondra un jour ou l'autre un de ces fameux « Comment ça va ? » de sourds. En effet, la plupart des États-Uniens, quand on leur demande « Comment ça va ? », répondent « Comment ça va ? »

Certaines personnes affirment que le « you » anglais, qui veut dire à la fois « tu » et « vous » est un signe d'amitié universelle. À l'époque des hippies, on aurait pu y croire, mais pas autrement. Le vouvoiement est essentiel et il est à la base même du respect.

Je le dis sans retenue, je déteste le mot « gentleman ». Regardez dans votre *Petit Robert*. Le nom « gentilhomme » date du XIe siècle alors que « gentleman » date du XVIe.

Les gens me disent souvent qu'ils partagent mon opinion au sujet des États-Unis, mais pas au sujet des Anglais. De toute évidence, ils ne connaissent rien à l'histoire pour affirmer une telle chose. Malgré tout, si la personne que j'ai en face de moi, démontre de la bonne volonté, je vais jouer le jeu. « Qu'est-ce qui vous impressionne chez les Anglais ? » demanderai-je. L'autre me sortira une baliverne du genre : « Leur art de boire le thé. » Ma réponse sera cinglante ! Leur thé vient de l'Inde et de la Chine et il devrait être de couleur rouge tellement les Anglais ont tué de gens dans ces deux pays !

ROOSEVELT ET LES FRANCO-AMÉRICAINS

Les trois tomes du *Livre noir du Canada anglais* de Normand Lester sont des écrits incontournables. D'ailleurs, il n'est pas surprenant que des fédéralistes notoires interdisent la lecture de ces ouvrages à leurs enfants. Roosevelt, qui passe toujours pour un bon garçon, est, à vrai dire, un raciste. « *Le plan Roosevelt pour régler la question des Canadiens français et des Juifs*. En 1942, dans une lettre à Mackenzie King, le président Roosevelt propose de collaborer en vue d'assimiler les Canadiens français et les Franco-Américains. Il suggère qu'une politique concertée, mais secrète, non écrite, serait peut-être appropriée :

« […] Dans les années 1890, lorsque j'étais enfant, j'avais l'habitude de voir un grand nombre de Canadiens français qui venaient d'arriver dans les environs de New Bedford, près de l'ancien domaine Delano, à Fair Haven. Ils n'avaient pas l'air d'être à leur place au sein de ce qui était encore une vieille communauté de la Nouvelle-Angleterre. Ils se sont isolés dans les villes industrielles et se sont très peu mêlés à leurs voisins. Je me souviens encore de la vieille génération qui hochait la tête en disant : "Il s'agit là d'un nouveau type d'individus qui ne s'assimilera jamais. Nous assimilons les Irlandais, mais ces Québécois ne veulent même pas parler anglais. Ils sont ici de corps, mais leurs cœurs et leurs esprits sont au Québec". Aujourd'hui, 40 ou 50 ans plus tard, les Canadiens français du Maine, du New Hampshire, du Massachusetts et du Rhode Island commencent enfin à faire partie du creuset américain. Désormais, ils ne votent plus selon les consignes de leurs Églises et de leurs sociétés. Ils se marient avec des Anglo-Saxons et sont de bons et paisibles citoyens dont la majorité parlent anglais chez eux[68]. »

---

68. LESTER, Normand, *Le livre noir du Canada anglais 1*, Montréal, Les Intouchables, 2001, p. 279.

Selon l'historien Denis Vaugeois, 20 millions d'États-Uniens sont d'origine française, et l'immense majorité d'entre eux sont d'origine canadienne-française. Vous imaginez, on aurait pu être plus de 25 millions à parler français en Amérique du Nord. Pour savoir ce qui est arrivé aux Franco-Américains, je vous conseille de regarder le film *Les Tisserands du pouvoir*[69]. Si les États-Uniens ont réussi à assimiler autant de francophones, pourquoi les Canadiens anglais, leurs clones, ne réussiraient-ils pas à en assimiler trois fois moins ? Ils attendent le moment. À vrai dire, ils ne font que ça !

69. FOURNIER Claude, *Les Tisserands du pouvoir*, Montréal, Malofilms, 1988.

INTERNET, CÂBLE DE TRANSMISSION DE L'IMPÉRIALISME ANGLO-ÉTATS-UNIEN

Bill Gates, le patron de *Microsoft*, se prend pour le maître du monde. Le meilleur exemple en est le fameux bogue de l'an 2000. Vous vous souvenez de cette catastrophe informatique à laquelle tout le monde s'attendait? Eh bien, c'était de la pure fantaisie. Le passage à un nouveau millénaire est un événement exceptionnel, mais il a fallu qu'on vienne gâcher la fête avec le bogue. À qui la faute? À Bill Gates, bien sûr! À elle seule, la *Deutsche Bank* a dépensé un milliard de marks — 500 millions d'euros — pour contrer le bogue. Combien d'argent s'est dépensé dans le monde pour rien? Mais surtout, combien de profit Bill Gates a-t-il fait avec cette escroquerie?

« D'autres effets de la mondialisation apparaissent plus inquiétants. Ainsi, nous apprenions, à la fin de 2004, que *Google Print*, aujourd'hui *Google Books*, souhaitait numériser sur 6 ans 15 millions de livres, grâce à une entente avec des universités américaines (Stanford, Michigan, Harvard ainsi que la New York Public Library) et une université anglaise (Oxford). L'annonce de ce projet pharaonique a donné lieu à une forte controverse. Sur quels critères le choix des livres numérisés se feront-ils? Quelle sera la place des langues autres que l'anglais? Quel sera le poids des éditeurs autres qu'anglo-saxons, alors qu'il n'y a que 3 % des parts de marché du livre aux États-Unis pour les traductions en anglais de livres étrangers[70]? »

En tant qu'éditeur, je suis surpris d'apprendre qu'il n'y a que 3 % des parts de marché du livre aux États-Unis pour les traductions en anglais de livres étrangers; je croyais plutôt que c'était 0 %. Et j'exagère à peine!

---

70. Beaudoin, Louise, *Plaidoyer pour la diversité linguistique*, Montréal, Fides, 2008, p. 13-14.

CELUI QUI CONTRÔLE LE PASSÉ
CONTRÔLE L'AVENIR

En fait, le titre de ce chapitre est tiré du livre 1984, dans lequel George Orwell dépeint une société totalitaire dont ce credo est l'une des règles. Jeremy Paxman, le chantre le plus militant de la culture anglaise, semble trouver que l'hypocrisie est une qualité. « Où ont-ils puisé leur remarquable aptitude à l'hypocrisie ? » Au Canada anglais, on lui donne raison. Dans ce beau pays, cité en exemple partout dans le monde, pour réussir à contrôler le passé et l'avenir, on est prêt à tout, à même user de mensonge et d'hypocrisie. Qui a découvert le Canada ? Jacques Cartier, répondrez-vous. Vous avez raison, mais ce n'est pas ce qu'on dit au Canada anglais et au Royaume-Uni. Leur réponse est Jean Cabot. Jean Cabot, de son vrai nom Giovanni Caboto, navigateur et explorateur vénitien au service de l'Angleterre, aurait foulé le sol de Bonavista, une île appartenant à Terre-Neuve, en 1497. Le hic, c'est qu'il n'a vu personne et que personne ne l'a vu. Qui plus est, il a essayé de s'y rendre une seconde fois, mais son navire a chaviré, et il y a laissé sa peau. Comment peut-on savoir où il est allé ? De la foutaise ! Vous voyez à quel point le Canada anglais et le Royaume-Uni sont capables de mauvaise foi pour ne pas créditer la France de la découverte du Canada.

Quelle est la plus vieille ville en Amérique du Nord ? Non, ce n'est pas Jamestown, qui a été fondé aux États-Unis, qui n'existaient pas encore en 1607, mais bien Port-Royal, en Acadie, fondé par Champlain en 1604. Depuis la déportation des Acadiens, la ville porte le nom d'Annapolis Royal. La fondation de Québec ne date que de 1608, mais cela n'enlève rien au rôle de premier plan que la ville a joué dans le développement de la Nouvelle-France.

Le Canada anglais a fait preuve de beaucoup de mesquinerie durant les fêtes du 400e anniversaire de la fondation de Québec. Parmi les nombreux mensonges véhiculés visant à amoindrir l'importance de la Nouvelle-France, on a clairement dit que Saint-Jean (Terre-Neuve) était de loin la plus vieille ville d'Amérique du Nord. *Primo*, n'oublions pas que Terre-Neuve a déjà fait partie de la Nouvelle-France, et, *secundo*, Saint-Jean n'était qu'un poste de traite, et c'est devenu une ville bien après la fondation de Québec.

LE GÉNIE DE LA PUISSANCE DOUCE ÉTATS-UNIENNE

Donald Duck est devenu diplomate universel.
DAVID PUTTNAM

Il m'arrive souvent d'exprimer mes opinions au sujet des Anglais et des États-Uniens lorsque je me trouve avec des gens. Évidemment, je ne gaspille pas ma salive à tenter de convaincre les colonisés. Je préfère m'attaquer aux indécis. Et Dieu sait qu'il y en a beaucoup ! S'il y avait un parti qui représentait les indécis et les gens qui ne vont pas voter, il serait majoritaire. Oups ! Je viens peut-être de donner une idée à quelqu'un… Trêve de plaisanteries, ce qui m'énerve le plus, c'est quand on me dit que tous les Anglais et tous les États-Uniens ne sont pas pareils. Cela va de soi, mais nous avons tous une identité personnelle et collective. Que vingt millions d'États-Uniens soient ouverts sur le monde et polyglottes, ça change quoi à l'identité collective des États-Uniens ? Absolument rien ! C'est la même chose pour Barack Obama. Il y a beaucoup de monde, dont je suis, qui le trouve beau et charismatique, mais les États-Unis vont peut-être déclarer la guerre à l'Iran d'ici deux ans. Je ne le souhaite pas, mais la tendance lourde va dans ce sens. J'espère que Barack Obama sera capable de changer les choses. N'oublions pas que les États-Unis ont failli devenir le phare de la planète. Si les hippies avaient gagné, ça aurait été le cas. Mais l'establishment, en matant le mouvement, a plongé le monde entier dans la noirceur.

Revenons à l'identité collective. Vous avez remarqué que je prends un malin plaisir à presque confondre les Canadiens anglais et les États-Uniens. Oui, je les considère comme des clones. Certes, les Canadiens anglais adorent le hockey et détestent les Canadiens français alors que les États-Uniens aiment le football et le base-ball, et haïssent les Noirs et les Latinos, mais ils sont presque identiques. Ils parlent fort de la même façon. L'un dit : « Sorry, I don't speak French » et l'autre : « Sorry, I don't speak Spanish ». Bien sûr, cela ne veut pas dire : « Je suis désolé de ne pas parler le français ou l'espagnol. » Cela veut dire… Vous l'avez deviné. C'est une expression qui contient deux mots, qui commence par la lettre « f » et qu'on entend toujours à la télé.

Je disais donc au sujet de l'identité collective que les Canadiens anglais sont aussi impérialistes, « suprémacistes » et intolérants que les États-Uniens, mais il y a des tonnes d'exceptions. Aux États-Unis, il y a Noam Chomsky. Je ne mettrais cependant pas Michael Moore, que je considère comme un faux cul, dans cette catégorie. Au Canada anglais, il y a Peter Scowen et Matthew Fraser. En tant qu'éditeur, j'ai publié *Le livre noir des États-Unis*, qui est un ouvrage incontournable. Je connais personnellement l'auteur, Peter Scowen, et je sais qu'il est vraiment ouvert. Quant à Fraser, je ne le connais pas personnellement, mais son livre *Les armes de distraction massive ou l'impérialisme culturel américain*, publié en 2004 chez Hurtubise HMH, contient de véritables bijoux.

Si les États-Uniens sont capables de lancer deux avions contre leurs propres tours, imaginez ce qu'ils sont capables de faire dans la vie de tous les jours. Oui, nous vivons dans un monde de propagande. Les États-Unis veulent convaincre aussi bien par la méthode forte que par la méthode douce. « Sa puissance douce — les films, la musique pop, la télévision, le prêt-à-manger — répand et renforce les normes, les valeurs, croyances et habitudes de vie communes. La puissance dure menace, la puissance douce séduit. L'une cherche à dissuader, l'autre, à persuader[71]. » « Pourquoi maintenir la paix avec des soldats, des porte-avions et des missiles intercontinentaux quand les Big Macs, Coca-Cola et grands succès d'Hollywood peuvent contribuer à l'atteinte des mêmes buts à long terme[72]? » « Pour que la globalisation marche, l'Amérique ne doit pas craindre d'agir comme la superpuissance omnipotente qu'elle est. La main invisible du marché ne fonctionnera jamais sans un poing caché. McDonald's ne peut être prospère sans McDonnell Douglas (constructeur de l'avion F-15). Et

---

71. FRASER, Matthew, *Les armes de distraction massive ou l'impérialisme culturel américain*, Montréal, Hurtubise HMH, 2004, p. 10.
72. *Ibid.*, p. 22.

84

le poing caché qui garantit un monde sûr pour les technologies de la Silicon Valley, ce poing s'appelle l'armée états-unienne, Air Force, Navy et Marines[73]. »

Comme le dit pertinemment l'ancienne ministre péquiste Louise Beaudoin, l'industrie cinématographique états-unienne est très rentable. « Les exportations cinématographiques des États-Unis totalisent des milliards de dollars, soit plus, selon les années, que l'armement ou l'aéronautique[74] [...] » À ce propos, les chiffres suivants sont des plus révélateurs. « Les États-Unis ne produisent que 5 % des films réalisés dans le monde, mais ils perçoivent 50 % de toutes les recettes cinématographiques[75]. »

Matthew Fraser nous montre très bien que le but poursuivi par l'industrie cinématographique états-unien n'est pas seulement la rentabilité. « Le film est à l'Amérique ce que le drapeau était autrefois à la Grande-Bretagne. À moins qu'il ne soit arrêté en temps opportun, l'oncle Sam peut ainsi espérer américaniser le monde un jour[76]. » Autrement dit, si vous détestez George W. Bush, mais que vous adorez Brad Pitt et Angelina Jolie, les États-Unis sortent grands gagnants.

De la même façon, MTV ne promeut pas que la musique. « MTV a fait bien davantage que de regrouper une génération autour de la musique pop : la chaîne vidéo pop est devenue l'extension électronique battant au rythme de l'Empire américain[77]. »

D'ailleurs, la musique a probablement encore plus d'influence que le cinéma. Comme me disait Réjean Tremblay, Elvis Presley a beaucoup plus fait aimer les États-Unis au monde entier que Clark Gable. La musique fait encore plus pour la propagation de la langue anglaise que le cinéma, qui est post-synchronisé. C'est là que se manifeste toute l'intolérance des Anglais et des États-Uniens à l'égard des autres langues. En fait, les stars de la musique pop peuvent à la limite être de n'importe quelle nationalité, pourvu qu'elles chantent en anglais. « En 2001,

73. FRIEDMAN, Thomas, *New York Times*, 28 mars 1999.
74. BEAUDOIN, Louise, *op. cit.*, p. 14-15.
75. GENSANE, Bernard, « L'impérialisme linguistique », *Nouvelobs.com*. blogbernardgensane.blogs.nouvelobs.com/archive/2008/01/17/l-imperialisme-linguistique.html
76. FRASER, Matthew, *Morning Post de Londres*, 1923, *in* SEAGRAVE Kerry, *American Films Abroad : Hollywood's Domination of World's Movie Screens*, 1997, p. 57.
77. *Ibid.*, p. 224.

les stars pop qui vendent le plus au monde sont : Britney Spears, Santana, The Beatles, Eminem, Red Hot Chili Peppers, Bon Jovi, U2, Madonna, Moby, Backstreet Boys, Enrique Iglesias et Céline Dion. Deux d'entre eux, Enrique Iglesias et Céline Dion, ne sont pas Anglo-Américains[78].» Et j'ajouterais qu'autant Enrique Iglesias que Céline Dion chantent en anglais! Ce qui fait dire à Fraser que «[...] l'appropriation de la musique du monde par la musique pop anglo-américaine frise le pillage culturel[79].» Ma foi, il n'y va pas avec le dos de la cuillère!

À propos de Disney, voici une déclaration qui dénonce le discours rétrograde qui sous-tend l'entreprise. «Tandis qu'il célèbre sentimentalement les gens ordinaires qui forment le peuple américain, des citoyens travaillants, croyants et bâtisseurs de communautés sont inspirés par une vision homogène du WASP dont il enchâsse les valeurs et proclame les perspectives[80].»

Matthew Fraser en rajoute de belle façon. «Étiqueté "Tchernobyl culturel", EuroDisney est décrit comme "une construction de gomme à mâcher durcie et de folklore idiot issu des bandes dessinées écrites pour des Américains obèses[81]".»

La propagande passe aussi par la nouvelle. Voici la définition qu'en fait Ted Turner : «Qu'est-ce que la nouvelle? Vous savez ce que c'est, la nouvelle? La nouvelle, c'est ce que nous, du réseau CNN, décidons être la nouvelle. Double fonction des agences de presse : journalistique, certes, puis stratégique de rassembler l'information qui servira au pouvoir impérial sur lequel elles sont alignées[82].»

Fraser nous rappelle aussi que la BBC avait eu auparavant les mêmes intentions que CNN aujourd'hui. «[L]es ambitions impériales de la BBC ne sont pas sans ironie : son service de l'Empire prend de l'expansion juste au moment où l'Empire lui-même décline rapidement. Même après l'effondrement effectif de l'Empire, la BBC continue de promouvoir une culture élitiste associée au passé impérialiste de la Grande-Bretagne[83].»

Dans cette machine à propagande bien huilée, d'autres produits de consommation servent à vanter les mérites de la culture états-unienne.

78. *Ibid.*, p. 286-287.
79. *Ibid.*, p. 257.
80. WATTS, Steven, *The Magic Kingdom: Walt Disney and the American Way of Life*, 1997.
81. FRASER, Matthew, *op. cit.*, p. 106.
82. *Ibid.*, p. 176.
83. *Ibid.*. p. 179.

Coca-Cola propose des publicités prônant la paix universelle, et McDonald's aime les enfants. On n'a qu'à penser au Manoir Ronald McDonald. Au sujet de Coca-Cola, cette déclaration dit tout. « Coca-Cola nous appartient, mais, à leurs yeux, c'est aussi un symbole, et, pour devenir plus semblables aux Américains, ils consomment du Coca-Cola[84]. »

Le constat de Matthew Fraser, c'est que oui, les États-Unis semblent avoir réussi — leur culture est omniprésente — mais que la réalité est celle de l'échec, parce que leur culture est complètement merdique ! Il résume ainsi sa pensée. « Le Yankee, plus arrogant que l'iconoclaste nazi, substitut la machine au poète, le Coca-Cola à la poésie, la publicité américaine à *La légende des siècles*, l'auto manufacturée en masse au génie, la Ford à Victor Hugo[85]. » Malheureusement, les perspectives d'avenir sont très sombres. Comme dirait l'autre, rien de neuf sous le soleil pour les prochaines années. Matthew Fraser soutient qu'il n'y a de diversité que dans les sources de revenus et il parle de « Coca-colonisation et [de] McDomination[86] ».

84. GOIZUETA, Robert, président de Coca-Cola. Déclaration faite au sujet de sa mission de 1995 auprès de Jiang Zemin, président de la Chine de 1993 à 2003.
85. FRASER, Matthew, *op. cit.*, p. 302.
86. *Ibid.*, p. 294.

IMPÉRIALISME, ETHNOCENTRISME ET ANGLOCENTRISME

Nous sommes plus populaires que Jésus-Christ.
JOHN LENNON

Je rappelle à ceux qui l'ont oublié ou qui ne le savent pas que John Lennon faisait partie des Beatles. John Lennon était considéré comme l'intellectuel du groupe. Wow! Quel intellect! «Champs de fraises pour toujours» ou «Je suis un morse», ça vous dit quelque chose? Non, mais, sérieusement, avez-vous déjà traduit des chansons des Beatles? Les textes sonnent bien, ils sont jolis, mais ils n'ont rien d'intelligent.

Vous voulez que je vous dise? Quand on écrit des textes aussi niais, si on a le culot d'affirmer qu'on est plus populaires que Jésus-Christ, c'est que la société est rendue bien bas. Bien sûr, Lennon a été un imbécile d'avoir fait cette déclaration, mais les gens qui l'ont applaudi et qui en ont fait un demi-dieu sont encore pires. Comme dirait l'autre, je ne veux pas vous écœurer avec la religion, mais j'ai autrement plus de respect et d'admiration pour Jésus-Christ que pour les Beatles. Par ailleurs, je suis convaincu que seul un Anglais ou un États-Unien aurait pu faire une telle déclaration. En ce sens, Lennon rejoint parfaitement d'autres voix qui se sont fait entendre avant lui. Avec le concept du darwinisme social, le philosophe britannique Herbert Spencer (1820-1903) clamait la soi-disant supériorité de la «race anglo-saxonne» et, bien sûr, la «volonté de Dieu».

John Lennon a eu au moins assez de jugement pour refuser les honneurs que la reine Élisabeth lui faisait en lui donnant un titre aristocratique. Paul McCartney, qui, lui, a accepté ces honneurs, a toute sa vie durant écrit des chansons encore plus sottes que son collègue et, en plus, a toujours été le roi des lèche-bottines.

Je me fais encore une fois l'avocat du diable de mes propres propos. Dans le fond, il fallait prendre la déclaration de Lennon au pied de la lettre et la juger telle qu'elle est. Le grand intellectuel anglais aurait simplement constaté le déclin de la religion chrétienne et il aurait alors tiré les conclusions qu'il fallait en ce qui a trait à la popularité de son groupe versus celle de la chrétienté. Évidemment, on nage en plein délire. Et, je le répète, il faut être rendu bien bas pour accepter les comparaisons entre les Beatles et Jésus-Christ.

Hélas, la scène musicale anglo-états-unienne s'est enfoncée beaucoup plus bas depuis. Pour réussir à l'échelle de la planète, il ne faut surtout pas être intelligent, il n'y a qu'une condition à remplir : chanter en anglais, d'où l'anglocentrisme. La beauté de la chose pour une Négresse blanche d'Amérique comme Céline Dion, c'est qu'elle n'a eu qu'à chanter en anglais pour devenir une des leurs et pour contribuer à la promotion de la culture de l'Empire anglo-états-unien. D'ailleurs, le film intitulé *Céline*, produit par Laszlo Barna, un Montréalais d'origine qui vit maintenant à Toronto, diffusé par CBC, nous montre quelque chose de symptomatique. À l'instar du Big Brother de George Orwell, Barna a réinventé l'histoire pour éliminer toutes les traces de la carrière francophone de la chanteuse de Charlemagne. Ainsi, Céline Dion n'aurait pas gagné le concours Eurovision de la chanson avec *Ne partez pas sans moi*, mais avec une autre chanson en anglais ! Bravo Laszlo « Big Brother » Barna ! En privé, Barna vous dirait qu'un extrait de dix secondes d'une chanson de Céline en français aurait pu lui faire perdre des dizaines de milliers de téléspectateurs. Décidément, on a la gâchette rapide chez les anglocentristes !

LES ANGLOPHONES
NE PARLENT PAS FORT, ILS HURLENT.

Il devait être deux heures du matin, et j'étais en train de manger, seul à une table au restaurant Fellini à Kiev, pas très loin de la célèbre et somptueuse rue Kreschatik. À quelques tables de la mienne, il y avait un Canadien anglais ou un États-Unien et un Ukrainien. Comme je ne sais pas reconnaître la petite différence entre les accents anglo-canadien et états-unien, je vais parler d'un anglophone. Or, ce très sympathique monsieur ne cesse de se vanter qu'il a beaucoup, beaucoup d'éducation. Évidemment, la scène est assez pathétique. De toute évidence, l'Ukrainien qui est assis avec lui n'a pas l'allure d'un mafieux. En fait, il a plutôt l'air d'un bon bougre, qui, comme bon nombre d'Ukrainiens, n'a pas beaucoup d'argent. J'ai envie de dire à l'anglophone d'arrêter de retourner le fer dans la plaie. Le plus agaçant, c'est qu'il parle terriblement fort. À un moment donné, je ne suis plus capable de l'endurer et je perds patience. Je clame en anglais : « Ma mère m'a toujours dit que parler fort est un signe de manque d'éducation ». Mal à l'aise, l'anglophone s'est tu, et l'Ukrainien m'a lancé un clin d'œil.

Est-ce vraiment parce qu'ils manquent d'éducation que les anglo-phones parlent aussi fort ? Je ne sais pas. Certaines personnes affirment que les Allemands parlent aussi fort que les anglophones. C'est sûr que les Allemands ont toujours le mauvais rôle. Combien de films par année se fait-il sur les méchants nazis ? Pourquoi n'y a-t-il jamais de films portant sur le génocide amérindien, qui a fait 50 millions de victimes ? Vous voulez que je vous dise ? Bien sûr, je suis convaincu que les Anglais et les États-Uniens ont commis les pires horreurs et sont les plus abominables impérialistes du monde, mais les Français sont aussi responsables d'atrocités. Par contre, les Allemands étaient pas mal corrects. Regardez l'Empire austro-hongrois, par exemple. Saviez-vous que, même si l'allemand était la langue commune, l'Empire était multilingue? Si ce n'avait pas été du IIIe Reich et de ce salaud d'Hitler, l'Allemagne serait un modèle de tolérance. Tout ça pour dire que je ne suis pas prêt à jeter la pierre aux Allemands. Et s'il y a des Européens qui parlent plus fort que les autres, je montrerais du doigt les Italiens, mais pas les Allemands.

Par contre, les anglophones, eux, parlent vraiment plus fort que tout le monde. Je me souviens d'avoir été dans un bar à Vilnius, la capitale de la Lituanie. Non loin de cet estaminet, il y a une plaque sur laquelle est inscrite une citation du président George Bush père qui dit que les États-Unis se posent comme principal défenseur de la Lituanie. Évidemment, Bush voulait par là narguer la Russie. La Lituanie, les deux autres pays baltes et la Pologne se croient mieux protégés maintenant qu'ils ont vendu leur âme aux États-Unis. Bientôt, ils regretteront peut-être les Russes. Qui sait? Mais revenons au bar. L'endroit était bondé. Il devait y avoir au moins 150 personnes. À une table, en entrant, il y avait trois anglophones. L'un d'eux était britannique. Je sais quand même faire la différence entre les accents britannique et nord-américain! Eh bien, croyez-le ou non, ces crétins parlaient plus fort que tout le monde réuni! Se sentaient-ils galvanisés par la phrase gravée sur la plaque? Chose certaine, ils voulaient qu'on remarque leur présence!

J'aurais pu demander à un savant linguiste de faire des tests en laboratoire pour prouver que les anglophones parlent beaucoup plus fort que tout le monde, mais je ne l'ai pas fait. La chose est tellement évidente. Pour ceux qui ne connaissent pas Montréal, je vous invite à emprunter le transport en commun lors de votre première visite. Dans l'autobus ou dans le métro, vous constaterez que les Anglo-Montréalais hurlent! Je ne sais pas si c'est parce qu'ils sont frustrés d'être minoritaires, mais ils se comportent vraiment de façon odieuse.

RENCONTRE AVEC UN SCEPTIQUE

Je me pointe à la taverne chez Normand, un endroit culte sur le Plateau Mont-Royal pour les amateurs de matchs de hockey du Canadien de Montréal. Nous sommes un lundi et il est à peu près 21 h. Comme il n'y a pas de match, l'endroit est plutôt tranquille. Pendant que je bois une bière, je vois un des employés de la place en train d'installer des tables de poker. Une bonne vingtaine de gars sont là pour jouer. Personnellement, je déteste ce jeu. La plus grande qualité d'un bon joueur de poker, c'est d'être un bon menteur. C'est ridicule : les salauds sont devenus des héros.

Parmi les joueurs qui attendent, il y a un anglophone, qui ne parle pas un mot de français. Rien de neuf sous le soleil, quoi ! Je lui fais la remarque en français, mais comme il ne comprend vraiment pas un mot, je lui dis dans sa langue d'apprendre le français. Le type m'ignore complètement. De toute façon, il rit dans sa barbe, car il aura sûrement le dernier mot. La partie de poker sera sûrement animée dans les deux langues à cause de lui.

Au Québec, il est très rare de voir quelqu'un faire un commentaire comme je l'ai fait. N'empêche que cette fois-ci, tout le monde me donne raison. Peut-être que grâce à mon audace, la partie de poker se déroulera seulement en français. Un type, qui m'a reconnu, s'approche de moi pour me parler d'un livre qu'il voudrait écrire. Finalement, son projet ressemble un peu à ce que le journaliste Christian Dufour a fait avec *Le retour du mouton*. Néanmoins, mon interlocuteur est brillant et fait valoir de bons points. Je lui parle alors de mon propre livre. Il m'écoute attentivement et il trouve mes idées intéressantes. Puis, il me pose une question : « C'est vrai que les anglophones ont un complexe de supériorité et qu'ils parlent quatre fois plus fort que tout le monde, mais comment se comportent-ils entre eux ? »

Durant mes recherches, j'ai navigué sur des sites de citations. Il y en a qui passent des heures à jouer aux mots croisés, moi, mon truc, ce sont les proverbes et les citations. Je n'ai pas honte de le dire : mon idole s'appelle George Bernard Shaw. Eh oui, un Irlandais, qui a écrit toute sa vie en anglais ! Voici en vrac, quelques-unes de ses meilleures trouvailles : « De toutes les perversions sexuelles, la chasteté est la plus dangereuse. » « Il n'y a que le cadavre qui puisse supporter avec patience le *Requiem* de Brahms. » « Il y a des fous partout, même dans les asiles. » « Il y a deux sortes de savants : les spécialistes, qui connaissent tout sur rien, et les philosophes, qui ne connaissent rien sur tout. » « Le seul sport que j'aie jamais pratiqué, c'est la marche à pied, quand je suivais les enterrements de mes amis sportifs. » « Une banque vous prête un parapluie quand il fait beau et vous le reprend quand il pleut. »

Certes, le grand dramaturge était quelque peu misogyne et cela est impardonnable, mais il a compensé par cette déclaration : « On peut beaucoup plus largement se passer des hommes que des femmes ; c'est pourquoi c'est eux qu'on sacrifie à la guerre. » Et puis, Shaw était végétarien comme le démontre cette citation : « Les animaux sont mes amis… et je ne mange pas mes amis. »

À un moment donné, je suis tombé sur une citation et je me suis dit que de l'utiliser serait donner un coup en bas de la ceinture. Eh bien, je me trompais. Grâce à cette situation, je peux répondre à la question du type brillant que j'ai rencontré. La voici : « Les Anglais n'ont aucun respect pour leur langue et ils ne veulent pas apprendre à leurs enfants à la parler correctement. Il est impossible à un Anglais d'ouvrir la bouche sans se faire mépriser ou détester par un autre Anglais. »

LES POURFENDEURS DU QUÉBEC

« Le Quebec bashing remonte en effet très loin dans le temps. En fait, dès les jours les plus sombres de la guerre de la Conquête, les Anglais articulèrent un discours qui en posa les premiers jalons. À l'époque, les journaux de la Nouvelle-Angleterre n'avaient de cesse de cracher leur fiel sur ces Français du Nord, dont on espérait la disparition pure et simple. Les plumitifs amoureux de l'Albion parlaient de la Nouvelle-France comme d'une ignominie de l'histoire et encourageaient leurs pairs en armes à briser sans ménagement aucun le crâne de ses enfants, ces bâtards dont on ne devait surtout pas permettre la perpétuation[87]. »

Évidemment, le symbole des pourfendeurs du Québec est Lord Durham. Voici un florilège de ses plus belles déclarations. « Et cette nationalité canadienne-française, devrions-nous la perpétuer pour le seul avantage de ce peuple, même si nous le pouvions ? Je ne connais pas de distinctions nationales qui marquent et continuent une infériorité plus irrémédiable. La langue, les lois et le caractère du continent nord-américain sont anglais. Toute autre race que la race anglaise y apparaît dans un état d'infériorité. C'est pour les tirer de leur infériorité que je veux donner aux Canadiens notre caractère anglais. Je le désire pour l'avantage des jeunes instruits que la différence du langage et des usages sépare du vaste Empire auquel ils appartiennent.

« Je désire plus encore l'assimilation pour l'avantage des classes inférieures. S'ils essaient d'améliorer leur condition, en rayonnant aux alentours, ces gens se trouveront nécessairement de plus en plus mêlés à une population anglaise ; s'ils préfèrent demeurer sur place, la plupart devront servir d'hommes de peine aux industriels anglais[88]. »

---

87. BOURGEOIS, Patrick, *Québec bashing*, Québec, Les Éditions du Québécois, 2008.
88. HAMEL, Marcel-Pierre, *Le Rapport Durham*, Saint-Jérôme, Éditions du Québec, 1948, p. 114-115.

« On ne peut guère concevoir nationalité plus dépourvue de tout ce qui peut vivifier et élever un peuple que les descendants des Français dans le Bas-Canada, du fait qu'ils ont gardé leur langue et leurs coutumes particulières. C'est un peuple sans histoire et sans littérature[89]. »

« Les institutions de France durant la colonisation du Canada étaient, peut-être plus que celles de n'importe quelle autre nation d'Europe, propres à étouffer l'intelligence et la liberté du peuple. Placés dans de telles circonstances, les colons ne firent aucun autre progrès que la largesse de la terre leur prodigua ; ils demeurèrent sous les mêmes institutions le même peuple ignare, apathique et rétrograde[90]. »

« Je n'entretiens aucun doute sur le caractère national qui doit être donné au Bas-Canada ; ce doit être celui de l'Empire britannique, celui de la majorité de la population de l'Amérique britannique, celui de la race supérieure qui doit à une époque prochaine dominer sur tout le continent de l'Amérique du Nord. Sans opérer le changement ni trop vite ni trop rudement pour ne pas froisser les esprits et ne pas sacrifier le bien-être de la génération actuelle, la fin première et ferme du gouvernement britannique doit à l'avenir consister à établir dans la province une population de lois et de langue anglaises, et de n'en confier le gouvernement qu'à une Assemblée décidément anglaise[91]. »

Évidemment, bon nombre de Québécois, conciliants au possible, vous diront que c'est de l'histoire ancienne. C'est faux, archifaux !

Pour vous en convaincre, il faut lire *Québec bashing* de Patrick Bourgeois, mais surtout le brillant prologue de Normand Lester dans *Le livre noir du Canada anglais 1*. Il faudrait que tous les Québécois sachent, au moins dans les grandes lignes, ce que des Canadiens anglais influents comme Diane Francis, Mordecai Richler, Barbara Amiel et Conrad Black ont dit de nous au cours des dernières années.

Selon moi, l'histoire la plus horrible, qui prouve que les Canadiens anglais n'ont aucune compassion est celle de Sophie Simard. Voyons les faits. « Les 19, 20 et 21 juillet 1996, des pluies diluviennes se sont abattues au-dessus de la région du Saguenay—Lac-Saint-Jean et plus particulièrement au Saguenay. Plus de 260 millimètres de pluie sont tombés durant 50 heures consécutives, causant le débordement de

---

89. *Ibid.*, p. 207.
90. *Ibid.*, p. 79.
91. *Ibid.*, p. 203.

plusieurs cours d'eau importants. Ce fut « le déluge du Saguenay », l'un des désastres naturels les plus importants de l'histoire du Québec. Les dommages causés par ces précipitations catastrophiques ont totalisé environ 700 millions de dollars canadiens[92]. »

La même journée commence les Jeux olympiques d'Atlanta, qui ont donc lieu du 19 juillet au 4 août 1996. Croyez-le ou non, des pourfendeurs du Québec poussent le mépris à l'extrême en affirmant que ces inondations sont de mains divines et qu'elles sont survenues au Saguenay pour punir les habitants de cette région d'être les plus souverainistes du Québec. Et qui plus est, l'entraîneur de l'équipe canadienne de natation décide de faire participer la cinquième meilleure nageuse au pays, une Canadienne anglaise, à la place de Sophie Simard, la troisième meilleure nageuse au Canada et qui est aussi la seule représentante du Saguenay—Lac-Saint-Jean aux Jeux olympiques d'Atlanta. Peut-être que Sharon Stone est Canadienne anglaise, après tout !

Au cours des derniers mois, deux déclarations anti-québécoises ont fait pas mal de bruit. Il aurait suffi de passer au peigne fin les médias canadiens-anglais durant cette même période pour en trouver des dizaines d'autres.

« Un député libéral fédéral de l'Ontario connu pour son franc-parler qualifie les souverainistes québécois de "perdants" et leur reproche d'être "prétentieux, hostiles, égocentriques, machos, égoïstes et balkanisants" dans son blogue intitulé "Garth Turner Unedited[93]". »

En entrevue à Radio-Canada, Pat Quinn, entraîneur de hockey, a invité ses hommes à jouer de façon robuste, montrant au passage du doigt les joueurs du Québec. « Beaucoup de joueurs se laissent tomber sur la patinoire, a déclaré Quinn. À cet effet, notre équipe ressemble davantage à une équipe de soccer. Ce style de jeu est souvent pratiqué au Québec, où les joueurs tombent facilement et où les bonnes mises en échec sont souvent sanctionnées[94]. »

Et voici que François Avard se moque de ces pourfendeurs du Québec dans un sketch du *Bye-Bye* 2008. Je cite le texte :

92. « Les inondations au Canada, les inondations au Saguenay », *Le musée du fjord*. http://www.museedufjord.com/inondations/saguenay_fr/index.htm).
93. « Le libéral Garth Turner insulte les souverainistes », *Le Devoir*, 5 juillet 2008.
94. « Pat Quinn s'en prend au hockey québécois », *La Presse*, 13 décembre 2008.

« Louis Morissette : Moi, c'qui m'a marqué, c'est le premier ministre Harper accusé d'avoir plagié des discours.

« Jean-François Mercier : Non, c'qui m'étonne, c'est le monde qui était surpris ! C'est sûr qu'on a déjà entendu ses discours, ça fait 3 ans qu'il nous ramène des idées politiques des années 60 ! Lâchez pas, ma gang de consanguins du Canada anglais, continuez de réélire votre lobotomie sur 2 pattes d'Harper, pis dans une couple d'années, quand votre femme sèche aura pus le droit de voter pis que ça va être légal d'abattre vos enfants quand ils fument du pot, ben vous viendrez cogner à la porte du Québec en disant "Harper a voté une loi pour qu'on fasse cuire tous nos immigrants, mais là on a pus de dépanneurs. On peut-tu revenir au Québec ?" Ben, on vous laissera pas rentrer ! Même si vous avez du sable bitumineux plein le cul, on va vous laisser de l'autre bord de la rivière Outaouais avec votre Toronto, votre Winnipeg pis toutes vos esties de villes plates où ce que les bars ferment à 4 heures de l'après-midi pis que les filles couchent pas avant le mariage, ni après ! »

Quelqu'un lance un soulier en direction du comédien, mais il le rate.

« Jean-François Mercier : Raté, M. Harper ! Pour une fois, vous étiez pas assez à droite ! »

Croyez-le ou non, ce sketch sème la consternation au Québec auprès des Québécois eux-mêmes, alors que tous les drapeaux du Québec brûlés et toutes les déclarations incendiaires anti-québécoises venant du Canada anglais laissent les gens de glace.

Albert Memmi croit que le colonisé a le choix, ou bien de s'assimiler au colonisateur, ou bien de l'éliminer. « Il tente soit de devenir autre, soit de reconquérir toutes ses dimensions dont l'a amputé la colonisation[95]. »

Je comprends très bien que bon nombre de Québécois agissent et pensent en colonisés, mais j'ai souvent honte de notre lâcheté. Voici un texte que j'ai écrit à ce propos.

Mous et moutons

Pendant qu'ils nous mangent la laine sur le dos
Et qu'ils cherchent à nous réduire à zéro
Nous, au lieu de se solidariser

---

95. MEMMI, Albert, *op. cit.*, p. 148.

On perd notre temps dans des guerres de clocher
Ils ont décimé les Amérindiens
Et déporté 18 000 Acadiens
Au lieu d'être là, à les montrer du doigt
On chante avec eux le Ô Canada
Ils ont lynché et déporté les Patriotes
Comme on les connaît, ils ont forcé la note
Ils ont voulu empêcher Falardeau
D'nous rappeler la bravoure de nos héros
Après s'être fait mentir sur la conscription
Nos hommes ont servi de chair à canons
La fête du Souvenir est là pour marquer
Que nous, bande de caves, on a tout oublié
Ils ont volé le dernier référendum
Ils ont triché en mettant toute la gomme
Et aujourd'hui, on entend sur nos ondes :
« Le Canada, le meilleur pays du monde »
Pont :
Combien de tapes sur la gueule,
Faudra-t-il avoir mangées
Avant de se réveiller
Combien de coups de pied au cul
Devrons-nous avoir reçus
Avant de dire, c'est assez
Refrain :
Mous et moutons
Nous sommes mous et moutons
Eux, ils sont solidaires
Et nous, on se fait la guerre
Les femmes contre les hommes
Québec contre Montréal
Chicoutimi contre Jonquière
Ils veulent nous détruire
Et ils vont réussir
Car grand bien leur fasse !
On le fait à leur place
Mous et moutons
Nous sommes mous et moutons

TEL LE FORGERON MARTÈLE L'ENCLUME, LE CANADA BAFOUE ET HUMILIE LE QUÉBEC

Le mépris est le plus impitoyable des sentiments.
HENRY DE MONTHERLANT

Le métier de soldat est l'art du lâche ; c'est l'art d'attaquer
sans merci quand on est fort, et de se tenir loin du danger
quand on est faible. Voilà tout le secret de la victoire.
GEORGE BERNARD SHAW

Celui qui assume sa condition de colonisé souffre d'aliénation à divers degrés. Bien qu'il ait fait un choix, conscient ou inconscient, il est toujours en crise identitaire. Il ne peut pas se contenter de ne pas être. Il doit défendre une cause. Celle de l'autre, bien sûr. Les ennemis du conquérant sont ses ennemis. Il se met à détester ses compatriotes. Pour reprendre une expression chère aux Canadiens anglais, il est là pour leur botter le derrière. Que la question de la servilité et de la soumission du colonisé face au conquérant soit acquise de façon indéfectible, c'est une chose, mais ce qui compte vraiment pour le conquérant, c'est que le colonisé soit prêt à mater ceux qui refusent l'assimilation. Il doit se poser en modèle et devenir l'ennemi juré de la liberté.

Au Québec, les colonisés, qui se comportent comme des employés modèles, ont fait l'équation suivante : l'humiliation est la meilleure façon de combattre le mouvement souverainiste.

Je pense que j'ai relaté un assez grand nombre de ces humiliations pour ne pas avoir à les énumérer de nouveau. Au Canada, il est bien rare qu'on passe plus de deux ou trois ans avant qu'un conquérant ou qu'un de ses larbins insultent ou bafouent les Québécois et les Canadiens français. André Juneau, le président de la Commission des champs de bataille nationaux, rêvait de devenir le plus grand laquais des conquérants des dernières années. Vous pensez qu'il aurait pu espérer être le plus grand de tous les temps, mais le pauvre homme est réaliste. Il sait très bien que la compétition est très féroce. Les colonisés se font un insigne honneur d'être d'incomparables lèche-bottines!

Juneau caressait le rêve depuis une dizaine d'années de faire une reconstitution de la bataille des plaines d'Abraham pour commémorer la défaite de la France aux mains de l'Angleterre. Cet événement, qui devait revêtir un caractère festif, devait être agrémenté de bals masqués, de croisières, de spectacles, etc. Autrement dit, cet être ignoble voulait ajouter l'injure à l'insulte.

Antoine Robitaille, journaliste du *Devoir*, nous apprend que ce pauvre larbin avait déjà fait pas mal de gâchis avec ses grands sabots. «Par ailleurs, des sources soulignent que M. Juneau a déjà "protégé la place de Wolfe" sur les Plaines. En effet, en 2004, il aurait contribué à faire échouer un projet qui aurait donné une place importante à la France, au moment du 400e anniversaire de Québec. Le maire de l'époque, Jean-Paul L'Allier, et le président du Musée national des Beaux-Arts du Québec, John Porter, souhaitaient faire de l'avenue qui mène au MNBAQ, situé sur les Plaines, une allée bordée de sculptures de bronzes de Rodin, de Claudel et de Bourdelle. La France aurait prêté des œuvres à long terme, et la rue aurait été rebaptisée "Allée de France". Le maire L'Allier souhaitait que la France soit "l'invitée d'honneur du 400e". Mais le fait de rebaptiser l'avenue Wolfe au bout de laquelle se trouve la colonne dressée en l'honneur du général anglais "dérangeait profondément M. Juneau", a expliqué une source très au fait du dossier, hier. Il disait: "Vous voulez provoquer le fédéral? Vous voulez réécrire l'histoire[96]"?»

Enfin, est-il surprenant d'apprendre aussi que ce triste personnage ait reçu des tonnes d'argent du fédéral pour botter le derrière des Québécois? «Sur le Web, certains fouillent le parcours de M. Juneau. Alain Lavallée, un blogueur (quebec.blog.lemonde.fr), a fait ressortir que ce dernier a participé pleinement, dans ce parc fédéral au cœur de la capitale québécoise, aux opérations visibilité de l'époque des commandites du gouvernement Chrétien. En février 2001, M. Juneau avait réclamé près d'un demi-million de dollars au ministre des

---

96. ROBITAILLE, Antoine, «Des commandites aux plaines d'Abraham», Le Devoir, 3 février 2009. http://www.ledevoir.com/2009/02/03/231157.html

Travaux publics d'alors, Alfonso Gagliano. Il sollicitait alors "une aide précieuse sous forme de commandite pour assurer sa visibilité et celle du gouvernement du Canada", selon ce que *Le Soleil* révélait en 2001[97]. »
Ai-je besoin de rappeler que les dénigreurs ont droit à un budget infini de la part du gouvernement fédéral ? Et la beauté des choses pour ces fossoyeurs, c'est que cet argent provient des impôts payés par les citoyens québécois !

La reconstitution de la bataille des plaines d'Abraham n'aura finalement pas lieu. La levée de boucliers des leaders des deux tiers des Québécois francophones, qui n'ont pas voté pour John James Charest, aura servi pour une fois à quelque chose.

Je ne me surprends pas d'autant de perfidie de la part d'un être aussi abject que ce Juneau, mais le plus dégoûtant est l'attitude méprisante de certains Britanniques, qui se préparaient à faire partie des réjouissances. En effet, l'agence de voyage Holts annonçait sur son site un forfait à Québec : « Venez commémorer la brillante et audacieuse attaque du général Wolfe au dépens du général Montcalm, commandant de l'armée française, qui a causé la chute du Canada français. »

Pourquoi exprimer tant d'admiration à l'égard de Wolfe, un autre de ces fiers génocidaires ? « [J]e propose que nos canons mettent le feu à la ville, qu'ils détruisent les récoltes, les maisons et le bétail, tant en haut qu'en bas, et je propose d'expédier en Europe le plus grand nombre possible de Canadiens en ne laissant derrière moi que famine et désolation[98] » a-t-il écrit avant les hostilités. Et, avant de prendre d'assaut les plaines : « J'ai réduit le pays en cendres[99] [...] ».

Mais le plus ignoble est d'avoir voulu célébrer la chute du Canada anglais. C'est comme si après un match de foot, les vainqueurs venaient narguer les perdants. On se l'imagine mal tellement ça serait faire preuve de manque de fair-play. Je le répète : moi qui croyais que fair-play était un mot anglais. Je suppose qu'il faut comprendre que fair-play est toujours précédé par « manque de ». Aucune surprise de savoir que les plus grands barbares civils des cinquante dernières années — les Hooligans — viennent d'Angleterre.

97. *Ibid.*
98. MacLeod Peter, *La vérité sur la bataille des plaines d'Abraham,* Éditions de l'Homme, 2008, p. 57.
99. *Ibid.,* p. 78.

BUFFET À VOLONTÉ POUR LES POURFENDEURS DU QUÉBEC

Parce qu'ils sont mous et trop tolérants, les Québécois se sont heurté, depuis le référendum volé de 1995, à la réalité des accommodements raisonnables.

Dans un article intitulé « Société multiculturelle : l'exemple des accommodements raisonnables au Québec », Pierre Ansay, chercheur-associé à Etopia, un centre d'animation et de recherche en écologie politique belge, nous rappelle les principaux événements qui ont mené au débat sur les accommodements raisonnables.

« Depuis 1995, plusieurs événements avaient soulevé des controverses sur la diversité religieuse en général et sur la légitimité des procédures d'accommodement raisonnable. Il en va ainsi du port du kirpan, couteau rituel porté par un jeune sikh dans une école secondaire, le port du hijab dans un collège privé, le déploiement de l'*érouv*[100] dans un quartier de Montréal, la question du financement public d'écoles juives, les demandes d'horaires distincts pour femmes et hommes dans les piscines publiques, les demandes exprimées par les parents de retirer leurs enfants de la participation à certaines activités sportives dans des écoles, la demande du respect d'interdiction alimentaires dans des hôpitaux ou des centres de la petite enfance. Mentionnons aussi les débats autour de l'établissement de lieux de culte dans les universités et les vives discussions sur l'arbitrage religieux en matière familiale et conjugale[101]. »

---

100. Dans la religion juive, clôture réelle ou symbolique qui délimite, lors du sabbat ou de certaines fêtes religieuses, des activités normalement interdites par la religion.
101. ANSAY, Pierre, « Société multiculturelle : l'exemple des accomodements raisonnables au Québec », décembre 2008. http://www.etopia.be/IMG/pdf/Ansay.pdf

Le chercheur belge nous rappelle aussi les circonstances de la création de la commission Bouchard-Taylor. « La Commission de consultation sur les pratiques d'accommodement raisonnable reliées aux différences culturelles, dite commission Bouchard-Taylor, présidée par le philosophe Charles Taylor et le sociologue Gérard Bouchard, a été créée par le premier ministre Jean Charest le 8 février 2008. Cette commission avait pour mandat de dresser un portrait des pratiques d'accommodement qui ont cours au Québec, d'analyser les enjeux qui y sont associés, de mener une vaste consultation populaire et de formuler des recommandations au gouvernement « pour que ces pratiques d'accommodement soient conformes aux valeurs de la société québécoise en tant que société pluraliste, démocratique et égalitaire.»

Précisons que Charles M. Taylor est né à Montréal d'un père anglophone et d'une mère francophone qui a reçu toute son éducation en anglais. L'anglais est d'ailleurs presque toujours la première langue d'enfants issus d'un couple mixte. Gérard Bouchard est historien. Il est le frère de Lucien Bouchard, l'un des deux premiers ministres péquistes, avec Pierre-Marc Johnson, à être devenu plus tard fédéraliste.

Quand on connaît l'appétit des pourfendeurs du Québec pour nos travers, il va sans dire que, pour eux, cette commission ressemblait à un buffet à volonté. Faut-il se surprendre que John James Charest, le premier ministre anglophone du Québec, ait créé la commission?

Dans n'importe quel pays ordinaire, Charles Taylor aurait été démis de ses fonctions. Premièrement, pour avoir accepté une bourse de la Fondation John Templeton. « Rappelons que *Le Journal de Montréal* rapportait hier que Charles Taylor avait accepté en mars dernier, soit moins d'un mois après sa nomination à la coprésidence de la Commission, une bourse de 800 000 livres sterling (1,8 M$ CA, selon le taux de change de l'époque) de la Fondation John Templeton. Cette fondation promeut l'idée que les pensées spirituelles et scientifiques ne sont pas incompatibles[102].»

Deuxièmement, pour avoir exprimé des opinions bien arrêtées sur différents sujets traités lors de la commission qu'il coprésidait dans le

---

102. « Charles Taylor : Sa démission exigée », *Le Journal de Montréal*, 4 septembre 2007. http://www.canoe.com/infos/quebeccanada/archives/2007/09/20070904-070100.html

quotidien anglais *The Guardian*[103]. En effet, cet article montrait hors de tout doute sa partialité. Gérard Bouchard aurait fait la moitié de ce que l'autre a fait et il aurait été remercié de ses services. Pourquoi ? Parce que l'un est francophone, et que l'autre est anglophone.

La conclusion du rapport de la commission Bouchard-Taylor se trouve à la page 217 du document. « [L]e poids et l'attrait de l'anglais seraient tels qu'à plus ou moins brève échéance, le français sera abandonné. Nous ne partageons pas cette opinion ; tout indique au contraire que la volonté d'assurer l'avenir du français au Québec est profondément ancrée (non seulement chez les Québécois canadiens-français mais aussi chez de nombreux immigrants) et qu'elle prévaudra. [...] C'est plutôt celui qui permet d'accéder à toutes les connaissances et d'échanger avec tous les peuples de la terre. Sinon, que signifie donc la fameuse "ouverture sur le monde" célébrée sur tous les tons depuis dix ou quinze ans ?[104] » À partir de là, une question se pose, et je demande à Charles M. Taylor d'y répondre. Si l'anglais n'est pas une menace pour le français, pourquoi est-ce que vous êtes de langue maternelle anglaise alors que votre mère était francophone ? Tout est là.

Le rapport de la commission Bouchard-Taylor est une honte. D'un côté, Bouchard, le pusillanime qui se fait imposer ce rapport, et, de l'autre, Taylor, le salaud. Entre les deux, John James Charest, qui sourit ! Enfin, devant eux, tous les pourfendeurs du Québec, qui applaudissent !

---

103. « TAYLOR Charles : « The Collapse of Tolerance », *The Guardian,* 17 septembre 2007. http://www.guardian.co.uk/commentisfree/2007/sep/17/thecollapseoftolerance
104. BOUCHARD, Gérard et CHARLES Taylor, « Fonder l'avenir, le temps de la conciliation », *Commission des consultations sur les pratiques d'accomodement reliées aux différences culturelles,* Montréal, 2008.

LES ROIS NÈGRES ET LES MERCENAIRES

Il existe deux sortes de cécité sur cette terre : les
aveugles de la vue et les aveugles de la vie.
AHMADOU KOUROUMA

Si les lièvres avaient des fusils, on en tuerait moins.
PROVERBE FRANÇAIS

John James Charest, premier ministre anglophone du Québec, répond parfaitement à la définition de roi nègre. Oui, Charest travaille au profit de la métropole anglaise, le Canada étant toujours plus ou moins une colonie de l'Angleterre, au détriment de « son » peuple. Je mets des guillemets parce que je me demande si John James considère vraiment les Québécois comme son peuple.

Rappelons les faits. Le gouvernement Charest a permis la vente de l'aluminerie Alcan à Rio Tinto, et, dans cette transaction, Québec a consenti un prêt de 400 millions de dollars sans intérêt pour une période de cinquante ans à Rio Tinto. Sachez que la multinationale anglaise appartient à la couronne britannique. Oui, à la reine d'Angleterre, celle-là même qui est sur nos pièces de monnaie !

Suis-je un peu démagogique en affirmant que John James Charest est un roi nègre ? Peut-être un peu, mais avouez que ce prêt de 400 millions de dollars sans intérêt pour une période de cinquante ans est un véritable scandale ! Qui plus est, le magazine *Les Affaires* nous apprend que « Québec apporte une contribution financière de 2,3 M$ pour la formation des travailleurs de QIT-Fer et Titane, à Sorel-Tracy[105]. »

---

105. SCHMOUKER, Olivier, « Québec subventionne une filiale de Rio Tinto », *Les Affaires*, 30 janvier 2008.

John James Charest aurait-il consenti ce prêt sans la moindre garantie? Hélas, il semble que oui. «Plusieurs des actifs de Rio Tinto sont situés au Québec, notamment au Saguenay — Lac-Saint-Jean (Alcan), sur la Côte-Nord (Minière IOC) et à Sorel-Tracy (QIT-Fer et Titane). Ses filiales emploient environ 8 000 personnes au Québec. Selon M. Bertolli [directeur des relations publiques chez Rio Tinto Canada], "l'impact particulier pour chaque région ne peut pas encore être précisé parce qu'il y a encore des rencontres et des discussions avec les parties prenantes". Il admet que le Québec sera touché par la décision de Rio Tinto d'éliminer à l'échelle mondiale 14 000 emplois, mais précise que les annonces seront faites en temps et lieu[106].» Et ce qui devait arriver arriva! «Le groupe d'aluminium Rio Tinto Alcan (RTP) a annoncé mardi la suppression de 1 100 emplois dans le monde et la fermeture de l'usine d'électrolyse de Beauharnois au Québec[107].»

On compare souvent John James Charest à un clown, et c'est vrai qu'il a l'air pathétique. Comme tous les rois nègres, c'est aussi une marionnette, mais, en plus, il est au service d'un autre roi nègre «québécois» bien plus puissant que lui, Paul Desmarais. Je mets des guillemets parce que je me demande si Paul Desmarais se considère vraiment comme un Québécois.

Chose certaine, cet homme n'a eu de cesse de travailler pour accroître sa fortune et, idéologiquement, il a toujours été au service des intérêts de l'Empire anglo-états-unien. Imaginez, son idole est Ronald Reagan! Pour mieux connaître cet homme secret, il faut lire *Derrière l'État Desmarais* de Robin Philpot, ouvrage que j'ai moi-même publié.

J'affirme haut et fort que Lucien Bouchard est devenu fédéraliste. Je sais que, en privé, il prétend le contraire, mais comment se fait-il qu'il ait favorisé la prise de contrôle des quotidiens québécois de Conrad Black, soit *Le Droit*, *Le Quotidien* et *Le Soleil*, par Gesca, dont le propriétaire est Paul Desmarais? En tant que premier ministre du Québec, Lucien Bouchard avait le pouvoir de faire en sorte que les choses se passent autrement. Il ne l'a pas fait. Tirez vos conclusions.

---

106. LEMOINE, Dominique, «Rio Tinto: incertitude au Québec», *lesaffaires.com*, 10 décembre 2008.
107. SIMARD, André, «Rio Tinto Alcan ferme l'usine de Beauharnois», *lapresseaffaires.com*, 20 janvier 2009.

Aujourd'hui, presque tous les quotidiens du Québec appartiennent à Paul Desmarais, et leur ligne éditoriale est à l'image de leur propriétaire. Avis aux non-Québécois qui lisent ce livre : si vous saviez combien cette situation est pénible !

Un peu comme Duvalier et ses tontons macoutes, Desmarais a ses petits mercenaires. À une certaine époque, le plus en vue était Alain Dubuc. Aux yeux de son patron, son discours était exemplaire. Il était toujours à droite et toujours au service des intérêts de l'Empire anglo-états-unien.

Un jour, à la suite du départ de Lise Bissonnette, alors directrice du *Devoir*, un journal indépendant et plus ou moins « indépendantiste », on apprend avec stupéfaction que Dubuc souhaite la remplacer. Si on l'avait choisi, aurait-il travaillé secrètement pour ce qui aurait été son ancien patron ? Probablement que non ! Il aurait sans doute dit qu'il a toujours été souverainiste et bla-bla-bla… Pour Dubuc, ce genre d'entourloupettes font partie de l'ordre des choses. Pourquoi ? Parce qu'il est mercenaire.

Aujourd'hui, le servile larbin de Desmarais est André Pratte. Yves Boisvert le suit, pas loin derrière. Messieurs, j'ai un conseil à vous donner. Exigez un salaire d'au moins un million de dollars par année. Sans impôts, bien sûr ! Je suis sûr que ce genre de détails peut facilement s'arranger en haut lieu. Et comme vous êtes les chantres les plus militants de l'Empire anglo-états-unien, demandez à ce qu'on vous sculpte une immense statue qu'on érigera en grande pompe aussitôt que le Québec sera anglophone.

L'ARGENT N'A PAS D'ODEUR, SAUF AU CANADA

Au Canada, l'argent a une odeur de sang. Ce n'est pas compliqué, toutes les personnalités qui figurent sur les billets de la Banque du Canada se sont illustrées par des gestes contre les Canadiens français. Sur le billet de cinq piastres figure Wilfrid Laurier, considéré comme le premier premier ministre francophone du Canada. Contrairement à Louis St-Laurent et à pierre ELLIOTT trudeau par la suite, Laurier n'est pas né d'un mariage mixte, mais toute son éducation lui a été donnée en anglais. Il a été élu en 1896 pour régler le conflit linguistique qui régnait dans l'Ouest canadien, et, à cause de lui, on ne parle presque plus le français en Alberta et au Manitoba. Il est devenu chef de l'opposition en 1911 et l'a été jusqu'à sa mort, en 1919.

Seulement 3 % de Québécois ont participé à la guerre des Boers, et, dès lors, les Canadiens anglais ont commencé à traiter les Canadiens français de lâches. Durant la Première Guerre mondiale, la question de la conscription obligatoire exacerbe les désaccords entre les Canadiens anglais et les Canadiens français. De son côté, Henri Bourassa fait une déclaration qui va dans le sens de l'opinion de la majorité des Canadiens français. « Les ennemis de la civilisation française au Canada, ce ne sont pas les Boches des bords de la Spree ; ce sont les anglicisateurs anglo-canadiens, meneurs orangistes ou prêtres irlandais[108]. » Laurier, quant à lui, a toujours répété le même discours au sujet de la conscription obligatoire, discours que les Canadiens anglais tenaient à cette époque. « [Q]ue mes compatriotes aient ou n'aient pas de droits dans la province de l'Ontario, que ces droits soient reconnus ou méconnus, ces considérations ne sont pas celles qui doivent empêcher les Canadiens

---

108. WADE, Mason, *Les Canadiens français de 1760 à nos jours*, tome II, Ottawa, Le Cercle du Livre de France, 1963 [1955], p. 75.

français de remplir leur devoir envers eux-mêmes et envers leur race, les empêcher de s'enrôler aussi nombreux qu'ils peuvent [...][109] » Vous remarquerez que Laurier banalise tout ce qui s'est passé à cette époque dans la province voisine du Québec. « En Ontario, on interdit même l'enseignement du français dès 1880, puis en 1885 ; on récidiva en 1912 avec le fameux Règlement 17 ; en 1897, la province imposa même sans problèmes l'unilinguisme anglais dans les tribunaux[110]. »

Cette vague d'intolérance se traduit par des déclarations d'une rare violence. Le député conservateur ontarien H. B. Morphy résuma très bien les sentiments qui habitaient alors le gouvernement orangiste d'Ontario : « Jamais nous ne laisserons les Canadiens français implanter en Ontario le langage dégoûtant dont ils font usage[111]. »

Faut-il se surprendre qu'André Pratte, un des mercenaires de l'Empire anglo-états-unien, plaide en faveur de la commission scolaire anglophone de Laval Sir-Wilfrid-Laurier, qui cherche à recruter de nouveaux élèves. Selon lui, il est légitime qu'une commission scolaire cherche à augmenter sa population écolière, et il ose intituler son article « English interdit ». Ce pauvre larbin défend les Anglais comme s'ils étaient menacés de disparaître alors que le pourcentage de Québécois représente moins de 2 % de la population nord-américaine.

John A. Macdonald, qui est sur le dix piastres, a fait pendre Louis Riel, enfonçant ainsi un premier clou dans le cercueil des Métis francophones de l'Ouest canadien. Sur le billet de 50 dollars, il y a Mackenzie King, qui a promis aux Québécois qu'il n'y aurait pas de conscription obligatoire. Non seulement il n'a pas tenu sa parole, mais il a envoyé les Québécois servir de chair à canon sur les premières lignes de tir. Robert Borden, qui est sur le billet 100 dollars, a fait tuer 4 personnes en ordonnant que l'on tire sur une foule d'anticonscriptionnistes à Québec en 1918. Et la reine, qui est sur les billets de 20 dollars ? Eh bien, elle représente tout ça et bien plus.

109. *Ibid.*, p.103.
110. LECLERC, Jacques, *op. cit.*.
111. BOURGEOIS, Patrick, *Le Canada, un État colonial !*, Éditions du Québécois, Québec, 2006, p. 44.

L'EXEMPLE DE MARC SAVARD

La peur de l'ennemi détruit jusqu'à la rancune à son égard.
FIODOR MIKHAÏLOVITCH DOSTOÏEVSKI

Marc Brassard, journaliste au quotidien *Le Droit*, qui est une propriété de Gesca et dont le siège social est à Ottawa, souligne que Marc Savard, le joueur de hockey étoile des Bruins de Boston, ne parle plus sa langue maternelle. « Marc Savard a peut-être perdu son français au fil des années[112] [...] » Ainsi, Marc Savard, né à Orléans, qui fait maintenant partie d'Ottawa, n'a que 31 ans et aurait oublié sa langue maternelle ? La situation n'est pas banale, mais plusieurs facteurs peuvent l'expliquer. À ce sujet, j'ai une anecdote à raconter. Alors que je travaillais à Fredericton, au Nouveau-Brunswick, j'avais comme partenaire de tennis un dénommé Mark Leduc. Un jour, je lui ai demandé pourquoi il ne parlait pas le français. Il m'a répondu que son père ne voulait pas qu'il se fasse casser la gueule à tous les jours comme ça avait été le cas pour lui.

J'ai déjà parlé du Règlement 17, voté en 1912 en Ontario. Je pense qu'il n'est pas exagéré de dire que les Ontariens anglophones n'ont jamais cessé de martyriser les Franco-Ontariens. D'ailleurs, Normand Lester résume parfaitement bien les derniers événements qui ont bouleversé la minorité (francophone de l'Ontario) dans le premier tome de la trilogie *Le livre noir du Canada anglais*. « Mais encore aujourd'hui, les Franco-Ontariens continuent à être méprisés ; on n'a qu'à penser à l'histoire de l'hôpital Montfort ou encore au statut unilingue anglais de la nouvelle ville d'Ottawa, capitale d'un pays soi-disant bilingue[113]. » Rappelons que le gouvernement ontarien de Mike Harris a voulu

---

112. BRASSARD, Marc, « Savard donne le crédit à Julien et à Hartley », *Le Droit*, 25 novembre 2008.
113. LESTER, Normand, *op. cit.*, p. 204.

fermer l'hôpital Montfort à la fin des années 1990, mais qu'il a dû faire marche arrière à cause de la mobilisation de la population. Aujourd'hui, Montfort est un hôpital bilingue. À Montréal, dans certains hôpitaux, de nombreuses infirmières et de nombreux médecins ne parlent pas le français. En ce qui concerne l'unilinguisme d'Ottawa, sachez que les résidents d'Ottawa exigent que les gens de Gatineau leur parlent en anglais. La ville de Gatineau est située au Québec à quelques minutes d'Ottawa.

Pour bien comprendre ce qui s'est passé avec Marc Savard, il est intéressant de se référer aux théories de Frantz Fanon. Il est important de souligner que Fanon, un Martiniquais de peau noire, a vécu une bonne partie de sa vie en Algérie. Très militant, il a toujours lutté contre le colonialisme. Je l'ai déjà dit et je le répète : les Français ont un passé de colonisateurs qui est loin d'être sans taches, mais qu'on ne peut comparer au colonialisme anglais et états-unien. Selon Fanon, le processus d'assimilation est simple. Comme tout ce qui appartient au Noir est dévalorisé et ce qui appartient au Blanc est valorisé, le Noir veut se valoriser en devenant tout comme un Blanc. Dans le cas de Marc Savard, il s'agit de remplacer le mot « Noir » par « Franco-Ontarien » et le mot « Blanc » par « Ontarien anglophone ». Ainsi, à l'image du Blanc, il rejette sa propre culture, en commençant par sa langue. Ce phénomène s'observe aussi bien dans le système scolaire : « À l'école, le jeune Martiniquais apprend à mépriser le patois[114] [...] » En général, « la bourgeoisie aux Antilles n'emploie pas le créole, sauf dans ses rapports avec les domestiques[115] ».

Si, au Québec, on se préoccupait beaucoup de la stigmatisation de l'accent et du parler des Québécois, les Franco-Ontariens étaient aux prises avec le rejet pur et simple de leur langue. « Lors d'une conférence donnée à Montréal, le journaliste Jules-Paul Tardivel déclara : « Dans certains milieux, particulièrement aux États-Unis, on a l'impression que le français parlé au Canada n'est pas le français véritable, mais un misérable patois[116]. »

---

114. FANON, Frantz, *Peau noire, masques blancs*, Paris, Seuil, 1952, p. 15.
115. *Ibid.*
116. LECLERC, Jacques, « *Trésor de la langue française au Québec* », Université Laval.
    http://www.tlfq.ulaval.ca/axl/Francophonie/HISTfrQC_s3_Union.htm

Selon moi, le facteur le plus important pour expliquer l'assimilation de Marc Savard, c'est le hockey. Si la rectitude politique a eu son effet sur le racisme des Anglo-Québécois — qui autrefois disaient « Speak White », « Parle blanc » et qui, maintenant, disent « Sorry, I don't speak French », « Désolé, je ne parle pas français » pour dire la même chose —, au hockey, on ne fait pas dans la dentelle. Les injures proférées contre les joueurs francophones pleuvent sur les patinoires de la Ligue nationale de hockey. Imaginez-vous que Shane Doan, qui a insulté des arbitres francophones, est devenu par la suite le capitaine d'Équipe Canada.

Encore une fois, le Canada anglais se ridiculise devant son sosie, les États-Unis. Certes, les États-Uniens ont mis beaucoup de temps avant d'accepter des joueurs noirs dans leurs ligues de sport. Jackie Robinson a fait figure de pionnier en devenant, en 1947, le premier joueur noir de la Ligue nationale de base-ball. Aujourd'hui, si un joueur blanc états-unien disait la moindre petite insulte raciale à un joueur noir, ce joueur blanc serait banni à vie de la ligue de son sport. Est-ce que les Blancs états-uniens sont plus racistes à l'égard des Noirs que les Canadiens anglais le sont à l'égard des Canadiens français ? Chose certaine, ils doivent davantage cacher leur racisme. Dans la Ligue nationale de hockey, qui est contrôlée majoritairement par des Canadiens anglais, le racisme à l'égard des Canadiens français se fait au grand jour. C'est honteux ! C'est à croire que l'expression de Pierre Vallières « Nègres blancs d'Amérique » prend encore tout son sens. Vallières avait aussi raison d'affirmer que le Québécois qui insulte un Noir en le traitant de nègre ajoute à sa propre négritude.

Je vais vous raconter une anecdote. Robert Sirois, un joueur qui a connu passablement de succès avec les Capitals de Washington à la fin des années 1970, m'a téléphoné un jour pour me proposer de publier un livre sur le racisme dans la LNH. Comme Lester avait consacré un long chapitre sur le racisme dans le sport en général au Canada dans *Le livre noir du Canada anglais 3*, j'ai décliné son offre. D'autant plus que les journalistes sportifs québécois sont les plus pleutres qui soient ! Je fais exception, bien sûr, de Réjean Tremblay, de Mathias Brunet et de Pierre Trudel. Revenons donc à Robert Sirois, qui m'a raconté que Gary Green, qui est devenu l'entraîneur des Capitals de Washington en 1979-1980, s'est départi de tous les joueurs francophones de l'équipe en quelques mois seulement. Jusqu'à tout dernièrement, le beau Gary Green a eu une belle carrière de commentateur aux matchs de hockey présentés aux chaînes TSN et Fox. Voici la preuve que Don Cherry, commentateur aux matchs de hockey présentés au réseau public CBC — donc, financé en partie par tous les Canadiens français — un anti-francophone notoire, n'est pas le seul de son camp. Et que dire de Marc Crawford, l'ancien joueur, devenu entraîneur et puis «joueur-naliste» à la CBC, qui a frappé Normand Léveillé, un joueur franco-phone promis à un brillant avenir, qui s'est retrouvé lourdement handicapé après avoir encaissé le coup.

Autre exemple de la connerie dans la LNH. Pete Rose, qui est le plus grand, sinon un des plus grands, joueur de base-ball états-unien, a été pris dans une histoire de paris illégaux. En fait, il gageait contre sa propre équipe alors qu'il était entraîneur. De leur côté, Rick Tocchet et Wayne Gretzky — qui est considéré par le Canada anglais comme le plus grand joueur de hockey de tous les temps (je ne suis pas d'accord: Mario Lemieux lui est infiniment supérieur) — ont été pris dans une histoire semblable. On ne connaît pas les détails de cette dernière histoire tellement on a essayé de tout camoufler. Eh bien, Tocchet et Gretzky sont tous deux entraîneurs dans la LNH, alors que Pete Rose a été complètement répudié.

MANIPULATIONS FÉDÉRALISTES

Le meilleur menteur est celui qui fait servir le même mensonge le plus longtemps possible.
SAMUEL BUTLER

À faire le mal il n'y a point d'honneur.
PROVERBE FRANÇAIS

Le véritable obscurantisme ne consiste pas à s'opposer à la propagation des idées vraies, claires et utiles, mais à en répandre de fausses.
JOHANN WOLFGANG VON GOETHE

Le 10 octobre 1964, des dizaines de milliers de personnes manifestent contre la venue à l'Assemblée nationale de Québec de la reine de l'Angleterre et du Canada, Élisabeth II, qui représente le colonialisme anglais. Des centaines de policiers attaquent brutalement les manifestants, qui ne sont pas armés. Des images de cet événement, qu'on appelle « Le samedi de la matraque », font le tour du monde.

Les Québécois francophones prennent leur revanche grâce au général de Gaulle. Nous sommes le 24 juillet 1967 devant le balcon de l'Hôtel de ville de Montréal. Le général s'apprête à prononcer un discours déterminant pour l'histoire du Québec. C'est l'année de l'Expo, et les Québécois sont en liesse. La foule est survoltée. Tout le monde présent s'attend à vivre un moment historique. On connaît la suite. Le grand homme politique français prononce des mots qui propulsent le Québec vers la reconnaissance internationale — reconnaissance qui l'a suivi jusqu'au milieu des années 1980. Le « Vive le Québec libre ! » transporte la foule de joie. L'Amérique du Nord ne sera finalement pas un gâchis total. Aujourd'hui, ceux qui avaient pris conscience de l'existence du

Québec à ce moment-là l'ont oublié, et les nouvelles générations qui émergent à travers le monde n'ont jamais entendu parler du Québec. Il faut dire que le Canada ne fait jamais la promotion de son caractère bilingue à l'étranger.

Comme il fallait s'y attendre, au lendemain de la fameuse déclaration, tous les pays anglophones rabrouent le général. Le Canada est sur le pied de guerre. On monte en épingle les activités du Front de libération du Québec (FLQ). Ces jeunes idéalistes qui ont décidé de se lancer dans une lutte armée sont inconscients du tort qu'ils causent au mouvement indépendantiste. À cinquante contre un, il est ridicule de prendre les armes, et, de toute façon, les Québécois sont résolument pacifistes. Le mouvement hippie bat son plein, et les Québécois sont des hippies dans l'âme. Les principaux faits d'armes du FLQ, notamment l'exécution du ministre Pierre Laporte, sont-ils vraiment l'œuvre de ces jeunes inconscients ou de la GRC (Gendarmerie royale du Canada) elle-même? J'aurais tendance à croire que le meurtre est imputable à la GRC, car toutes leurs démarches visaient à se servir du FLQ pour discréditer le PQ (Parti québécois). La GRC voulait, avec sa propagande, que les Québécois fassent l'équation : felquistes égalent péquistes égalent terroristes. Il est probable que le FLQ luttait vraiment pour la libération du Québec, mais leurs activités ont servi la cause contraire. Dans les années 1990, la GRC a tenté de faire le même coup de diversion avec la formation du Mouvement national de la libération du Québec (MNLQ) avec, à la tête de ce mouvement, Raymond Villeneuve, un ex-felquiste. À voir à quel point les médias fédéralistes ont couvert les activités de ce groupuscule, il y a fort à parier que le MNLQ était une création de la GRC.

Les résultats des élections de 1970 et de 1973 ont été décevants, et il va sans dire que les manœuvres de la GRC ont porté leurs fruits. Néanmoins, le mouvement indépendantiste prenait de l'ampleur, et les assemblées de cuisine se multipliaient. Les indépendantistes, de plus en plus nombreux, étaient de fervents militants. Leurs leaders étaient jeunes et très compétents. Bien sûr, la GRC n'avait pas perdu le cap : grâce à son informateur Claude Morin, la GRC était informée des activités du PQ. En plus, Morin a réussi un coup fumant en faisant adopter par le parti comme article premier l'obligation de tenir un référendum sur la souveraineté. Selon le système parlementaire britannique, qui a cours au Canada et au Québec, l'élection d'un parti indépendantiste au Québec aurait dû entraîner de fait la sécession du Québec. À cause du tour de passe-passe fait par l'espion Morin, un obstacle de plus devait être franchi avant la réalisation de l'indépendance. Certes, bon nombre d'observateurs diront qu'en posant comme obligatoire la tenue d'un référendum précédant l'accession à l'indépendance, le PQ voulait rassurer les gens, mais je pense que le PQ n'avait pas besoin de ça. Tôt ou tard, les Québécois en auraient eu assez de Robert Bourassa, un premier ministre faible, et le PQ allait être élu, un jour ou l'autre. C'était écrit dans le ciel.

Le 15 novembre 1976, le peuple québécois avait la chance de vivre un autre moment historique en moins de dix ans. Les militants péquistes regroupés au centre Paul-Sauvé étaient gonflés à bloc. Tout pouvait arriver. Puis, le chef est arrivé. René Lévesque savait depuis longtemps déjà que Claude Morin collaborait avec la GRC. Plusieurs années plus tard, quand la chose a été rendue publique, Morin a affirmé qu'il avait été assez naïf pour croire qu'il allait découvrir des choses qui allaient servir le PQ en collaborant avec la GRC. Bien sûr, c'était un tissu de mensonges, mais on le sait, les menteurs sont légion sur la terre. Lévesque aurait alors pu limoger Morin pour cause d'espionnage et, ce faisant, il aurait fait tomber l'obligation de tenir un référendum. Le champ aurait été libre pour la souveraineté. Le système parlementaire britannique lui permettait, de toute façon, Morin ou pas, promesse de tenir un référendum ou pas, de décréter unilatéralement l'indépendance du Québec, mais il ne l'a pas fait. Il s'est contenté de dire : « Je n'ai jamais été aussi fier d'être Québécois ». Paroles décevantes adressées à un peuple qui attend de se libérer de la domination anglaise depuis 213 ans.

Le gouvernement péquiste a fait un travail admirable. Les lois qu'il a promulguées ne sont pas toutes bonnes, mais ironiquement, la meilleure de toutes — la Charte de la langue française ou le projet de loi 101 — dérangeait René Lévesque. Et sûrement aussi Claude Morin. Lévesque a entamé une politique d'ouverture aux Amérindiens. « En 1972, René Lévesque rapportait avec fierté une résolution adoptée à un congrès régional du Parti québécois : Le Parti québécois reconnaît aux Indiens et aux Esquimaux [...] le droit de conserver leur identité culturelle [...] et de développer leurs personnalités collectives distinctes [...]. [Le PQ] s'oppose donc à tout politique visant à forcer l'assimilation des populations autochtones à la majorité blanche ou ayant pour effet de les maintenir dans un état d'infériorité économique et d'incapacité politique. Dans un Québec souverain, les langues et les cultures amérindiennes seront considérées comme partie intégrante du patrimoine national québécois, et les grandes familles amérindiennes [auront] droit de participer comme telles à la vie de l'État [...] » Hélas, il y a aussi eu des affrontements avec les Premières Nations. Et cette ambiguïté apparente n'a pas aidé la cause souverainiste sur le plan international. La cause du Québec avait pourtant tout pour s'attirer la sympathie de nombreux pays.

Malgré tout, les étoiles étaient bien alignées pour le Parti québécois. L'élection d'un gouvernement minoritaire conservateur à Ottawa en 1979 était le petit coup de pouce dont le PQ avait besoin pour la tenue du référendum. Joe Clark était un homme conciliant et honnête, et le PQ devait coûte que coûte profiter de son passage au pouvoir, mais Lévesque n'a pas saisi sa chance. Il a préféré attendre que pierre ELLIOTT trudeau, l'ennemi juré des souverainistes, un homme sans aucun scrupule qui était prêt à tout pour arriver à ses fins, reprenne le pouvoir.

ELLIOTT a fait ce à quoi on s'attendait de lui. Il a triché, il a menti, il a abusé de la crédulité des gens, et le PQ a perdu le référendum : 59,56 % contre 40,44 %. Malgré les résultats décevants, René Lévesque avait encore une carte dans son jeu. Il aurait pu relancer le débat en remettant la balle dans le camp fédéraliste. Comme celui-ci avait bluffé, il aurait été dans l'embarras. C'était logique. Le soir du 20 mai 1980, Lévesque aurait dû parler de la sorte. « Le peuple québécois a choisi le fédéralisme renouvelé. Demain, nous irons à l'Assemblée nationale voter la loi pour le déclenchement d'une élection. Le PQ fera en sorte que le prochain gouvernement soit libéral et minoritaire. » Comme Trudeau avait bluffé et que Ryan le détestait, les chances de succès étaient nulles. En disant : « Si j'ai bien compris, vous êtes en train de me dire "À la prochaine fois" », Lévesque venait de renvoyer le projet de réalisation de l'indépendance aux calendes grecques. Et pour achever son gâchis, Lévesque s'est accroché au pouvoir jusqu'en 1985. Son second mandat a été de trop et il n'a servi à rien. De plus, il a fait confiance à Claude Morin pour les négociations du rapatriement de la Constitution. Lévesque est mort le 1er novembre 1986. À cause de lui, un des plus beaux mouvements de l'histoire du XXe siècle — un mouvement composé de centaines de milliers de personnes animées par un enthousiasme peu commun — s'est terminé en queue de poisson.

J'ai déjà expliqué qu'on avait créé la crise d'Oka pour annihiler les aspirations souverainistes des Québécois à la suite de l'échec de l'accord du lac Meech. Bien sûr, il faut aussi lire *Le référendum volé* de Robin Philpot, à moins que votre papa ne vous l'interdise. Rappelons les résultats du référendum du 30 octobre 1995 : OUI, 49,4 % ; NON, 50,6 %.

Nous sommes en 1996. Le gouvernement du Canada s'apprête à voter une loi visant à interdire l'importation ou la production de fromage au lait cru au Canada. Évidemment, les Canadiens anglais et les Québécois fédéralistes font front commun et ils se préparent à balayer du revers de la main la protestation, qui vient surtout du Québec. « M. Ghislain Lebel (député du Bloc québécois représentant la circonscription de Chambly) : « Monsieur le Président, 73 300 personnes ont signé une pétition demandant au ministre de la Santé de surseoir à son projet de modification de la réglementation concernant l'importation ou la production de fromage au lait cru au Canada[117]. »

Puis, volte-face, les Italo-Canadiens, qui appuient aveuglément le Parti libéral du Canada, se rendent compte que cette loi concernera aussi le fromage italien. Le fait que des centaines de milliers de Québécois se soient opposés à cette loi n'avait aucun poids, mais quand Alfonso Gagliano, alors ministre, a parlé au nom de la communauté italo-canadienne, le gouvernement a immédiatement fait marche arrière.

À cause des Italo-Canadiens, le rêve de ne voir que le cheddar et le fromage en tranches régner sur le Canada venait de s'évaporer.

Vous souvenez-vous du SRAS, le syndrome respiratoire aigu sévère ? Rappelons que cette maladie mystérieuse s'était brusquement déclarée en Chine alors que le pays connaissait un formidable boum économique. Est-ce que je suis assez fou pour penser que les États-Unis sont à l'origine d'un complot ? La réponse est oui. Évidemment, le SRAS fait du tort à la Chine, mais aussi au Canada. « Jusqu'au 5 septembre 2003, 438 cas de personnes infectées par le SRAS ont été rapportés au Canada.

117. LEBEL Ghislain, « Fromage au lait cru », *Déclaration de députés N°57*, 5 juin 1996. http://www2.parl.gc.ca/HousePublications/Publication.aspx?DocId=2332596& Language=F&Mode=1&Parl=35&Ses=2#3497

Les premiers cas au Canada ont été diagnostiqués en mars 2003 chez des personnes ayant voyagé à Hong Kong. La majorité des cas répertoriés provenaient de l'Ontario, mais certains cas ont été rapportés en Colombie-Britannique, en Alberta, au Nouveau-Brunswick, à l'Île-du-Prince-Édouard et en Saskatchewan[118]. » Vous aurez deviné que les conséquences du SRAS sont très néfastes pour le tourisme. Pas seulement en Ontario, où a été répertoriée la majorité des cas, mais aussi au Québec. Vous aurez deviné que personne au Québec ne dénonce cette situation injuste. Voyons donc, il faut être solidaires avec nos « amis » canadiens-anglais.

Toujours en 2003, trois cas de vache folle sont découverts en Alberta. Je me souviens d'être allé à Paris cette année-là, et tout le monde me parlait du SRAS et de la vache folle. J'ai demandé à mes amis parisiens : « Si on avait diagnostiqué des cas de SRAS à Francfort et découvert des cas de vache folle à Moscou, est-ce que la France aurait dû être touchée par ces événements ? » « Bien sûr que non », m'ont-ils dit. Eh bien, Montréal est aussi loin de Toronto que Paris l'est de Francfort et aussi loin de Calgary que Paris de Moscou.

En bons moutons, les Québécois ont enduré les conséquences désastreuses de ces deux crises sans rouspéter. Mes amis lecteurs, soyez assurés d'une chose : si le SRAS s'était manifesté principalement à Montréal, et la vache folle, quelque part au Québec, nos « amis » canadiens-anglais auraient dit les pires calomnies à notre sujet. Je me demande même s'ils ne nous auraient pas expulsés du pays. Dommage !

Depuis 2003, tout baigne. John James Charest, un anglophone de père bilingue et de mère anglophone, est élu premier ministre du Québec. On n'a plus à trop s'occuper du Québec sauf pour le 400e de la ville de Québec, dont je parle dans un autre chapitre.

Les journalistes jubilent. Enfin, un nouveau scandale. « L'Agence canadienne d'inspection des aliments (ACIA) a émis l'avis 24 heures après avoir déterminé que l'établissement torontois est à l'origine de l'éclosion de la listériose, qui a infecté au moins 21 personnes et fait quatre morts. […] Maple Leaf, qui compte 23 000 employés, évalue à 20 millions de dollars le coût de ce rappel élargi. En conférence de presse, son président Michael McCain a affirmé que c'est 10 fois plus

---

118. *Santé Canada.* http://www.hc-sc.gc.ca/dc-ma/sars-sras/index-fra.php

que le coût initialement prévu. Le rappel original, celui de la semaine dernière, visait 23 produits. M. McCain a souligné que la dernière mesure se veut préventive, car aucune trace de la bactérie n'a été trouvée dans les 220 produits retirés des épiceries en fin de semaine[119]. »

Je suis convaincu que cette histoire a fait rire bien du monde au Canada anglais et dans les salons fédéralistes du Québec. Bon nombre de personnes se sont réjouies d'assister à la déconfiture d'un des frères McCain.

Un jour, quelqu'un a allumé. Maple Leaf veut dire « feuille d'érable » ! Diantre, le plus beau symbole de l'unité canadienne est écorché ! Il faut réagir. Il faut détourner la crise pour ne pas nuire à ce magnifique symbole d'unité canadienne qu'est la feuille d'érable !

C'est alors que le capitaine Charest a lancé sa brigade de fonctionnaires hystériques, tous des fervents amateurs de fromage en tranches, pour qu'ils s'attaquent aux fromages québécois. Ces fanatiques, qui ont répondu à la fatwa de leur chef, sont rentrés comme des sauvages dans des fromageries — aucune dans la Petite Italie, bien sûr — et ils ont jeté des tonnes de fromage. Combien de millions de dollars a perdu l'industrie du fromage au Québec en 2008 ? « La Protectrice du citoyen du Québec, Raymonde Saint-Germain, a déclenché une enquête afin de déterminer si le ministère de l'Agriculture a réagi de façon abusive relativement à la crise de la listériose en confisquant des milliers de kilos de fromage, selon ce qu'a appris la radio de Radio-Canada[120]. »

Vous pensez que je paranoïe ? Non, je ne pense pas !

119. Croteau, Martin, « Listériose : Maple Leaf rappelle 220 produits », *La Presse*, 25 août 2008.
120. Arcand, Jean-Philippe, « Le MAPAQ a-t-il réagi de façon abusive ? Listériose : la Protectrice du citoyen fera enquête », *24 heures*, 30 septembre 2008. http://www.24hmontreal.canoe.ca/24hmontreal/actualites/archives/2008/09/20080930-114620.html

LES ANGLAIS ET LES ÉTATS-UNIENS
À L'ÉGARD DES NOIRS

Le parcours des Noirs est indissociable de l'histoire des États-Unis. Je pourrais dire qu'il est symptomatique. Comme toujours, l'histoire des États-Unis prend sa source en Angleterre. « Il n'est pas inintéressant de constater que le premier à faire de Cléopâtre une femme de couleur fut, au tournant du XVIIᵉ siècle seulement, Shakespeare, qui la qualifie tantôt de *tawny*, tantôt de *black*. C'était l'époque de la maturation du préjugé de couleur[121]. »

Maintenant, la parole est au deuxième président des États-Unis. « J'émets donc l'hypothèse provisoire que les Noirs, qu'ils soient issus d'une race distincte ou qu'ils doivent leur spécificité à l'histoire et à l'environnement, sont inférieurs aux Blancs aussi bien physiquement qu'intellectuellement[122]. »

Vous êtes-vous demandé pourquoi on dit qu'Obama est Noir et non pas Métis ? Voici la réponse. « Aux États-Unis, une seule goutte de sang noir fait le Noir [...] Les cinéastes américains, tel Griffith, vont, jusque dans les années 1930, tantôt mettre en scène des Noirs très sombres de peau, tantôt simplement occulter leur existence[123]. »

Rappelons que l'abolition de l'esclavage aux États-Unis ne date que de 1865. « Contrairement à d'autres formes de travail forcé comme le servage russe, l'esclavage américain était donc fondé sur un rapport de domination des Blancs sur les Noirs[124]. » « Pour Ulrich B. Phillips,

---

121. Ferro, Marc, *Le livre noir du colonialisme. XVIᵉ–XXIᵉ siècle : de l'extermination à la repentance*, Paris, Robert Laffont, 2003, p. 647.
122. Jefferson, Thomas, *Notes sur l'État de la Virginie*, 1787. Il est à noter que l'effigie de Thomas Jefferson figure sur l'avers de la pièce de cinq cents et sur le billet de deux dollars états-unien.
123. Ferro, Marc, *op. cit.*, p. 711.
124. *Ibid.*, p. 121.

l'esclavage constituait pour les Noirs une étape indispensable entre l'animalité des tribus africaines et la civilisation[125]. »

On se moque souvent du manque de culture des États-Uniens. Cinquante pour cent d'entre eux ne sont même pas capables de dire où se trouve leur propre ville sur une carte vierge des États-Unis. Ne parlons pas de leur connaissance du reste du monde, elle est nulle. Je parie 100 piastres que moins de 10 % des États-Uniens sont capables de nommer dix capitales mondiales. On dirait que ce manque de culture est voulu. Les dirigeants du pays le plus puissant de la planète veulent que leurs citoyens soient des imbéciles heureux. Quel drame ce serait si ces gens avaient de la culture! La création des États-Unis repose sur le plus grand génocide de l'histoire de l'humanité. Les colons anglais ont exterminé des dizaines de millions d'Indiens. Le pays est érigé sur une immense fosse commune. Et le plus ironique, c'est que les rares survivants amérindiens ont construit les gratte-ciel qui sont devenus le symbole des États-Unis. Voici la preuve qu'ils valaient quelque chose!

Quelle honte que d'avoir complètement éliminé la culture et les coutumes de toutes ces nations indiennes! Si les États-Uniens connaissaient leur histoire, ils auraient un énorme sentiment de culpabilité, et cela ferait d'eux des gens plus humbles. Le plus triste, c'est que je n'en suis pas si sûr. Les Anglais connaissent leur histoire et ils sont de fiers génocidaires. Les Indiens sont tellement peu nombreux qu'on n'entend presque jamais leurs revendications, surtout aux États-Unis. Aux États-Unis, ce sont surtout les Noirs qui revendiquent. Qu'on se le dise, l'esclavage des Noirs aux États-Unis n'est rien comparative-ment au génocide indien. On a l'impression que les Noirs sont dans un cul-de-sac. On dirait que leur idéal est d'accaparer tout ce qu'il y a de plus con dans la culture états-unienne. Je ne serais pas surpris que MTV donne autant d'importance aux chanteurs hip-hop, dont les valeurs sont dépravées, pour donner une image négative des Noirs. Les Noirs revendiquent toujours, certes, mais on est loin des Black Panthers. Le Black Panther Party[126] était un mouvement révolution-naire afro-américain formé aux États-Unis en 1966 par Bobby Seale et Huey P. Newton qui a atteint une échelle nationale avant de s'effondrer

---

125. *Ibid.*, p. 126.
126. À l'origine, le Black Panther Party for Self-Defense.

à cause de tensions internes et des efforts de suppression par l'État, en particulier le FBI [...][127].

Rappelons que le mouvement est né un an après l'assassinat du leader noir, Malcolm X. Voici un extrait du livre écrit par le fondateur du mouvement, qui donne une idée de l'idéologie du parti: « Le parti des Panthères noires ne se place pas au niveau vil et bas du Ku Klux Klan, des "chauvins blancs" ou des organisations de citoyens blancs, soi-disant patriotiques, qui haïssent les Noirs pour la couleur de leur peau, même si certaines de ces organisations proclament "Oh, nous ne haïssons pas les Noirs, la seule chose, c'est que nous ne les laisserons pas faire ceci, ni cela!" Ce n'est en fait que de la basse démagogie masquant le vieux racisme qui fait un tabou de tout, et en particulier du corps. L'esprit des Noirs a été étouffé par leur environnement social, cet environnement décadent qu'ils ont subi quand ils étaient esclaves et qu'ils subissent encore depuis la soi-disant Proclamation d'émancipation. Les Noirs, les Bruns, les Chinois et les Vietnamiens font l'objet de surnoms péjoratifs tels que "crasseux", "nègres", et bien d'autres encore. Ce que le parti des Panthères noires a fait en substance, c'est appeler à l'alliance et à la coalition tous les gens et toutes les organisations qui veulent combattre le pouvoir. C'est le pouvoir qui, par ses porcs et ses pourceaux, vole le peuple; l'élite avare et démagogue de la classe dirigeante qui agite les flics au-dessus de nos têtes, et qui les dirige de manière à maintenir son exploitation[128]. »

Les Black Panthers se sont manifestés aux Jeux olympiques de Mexico, qui se sont déroulés durant l'automne 1968, quelques mois après les assassinats de Robert Kennedy et du leader noir, Martin Luther King. En effet, deux athlètes états-uniens de race noire, Tommie Smith et John Carlos, ont levé leur poing ganté au ciel après s'être respectivement classés premier et troisième à l'épreuve du 200 mètres.

À l'opposé, Carl Lewis, le roi des Jeux olympiques de Los Angeles de 1984, se pavanait dans le stade en portant le drapeau états-unien. Il agissait comme si tout était pour le mieux pour les Noirs aux États-Unis. Pourtant, encore aujourd'hui, c'est loin d'être le cas. Les Noirs sont toujours victimes de ségrégation aux États-Unis.

---

127. *Wikipedia.* http://fr.wikipedia.org/wiki/Black_Panther_Party
128. Seale, Bobby, *À l'affût — Histoire du parti des Panthères noires et de Huey Newton*, coll. « Témoins », Paris, Gallimard, 1972.

Je me souviens de m'être retrouvé à Miami lors du congé du Memorial Day de 2003. Je ne le savais pas auparavant, mais des Noirs de toutes les régions des États-Unis se donnent rendez-vous à Miami lors de cette fin de semaine. Avant qu'ils ne débarquent, j'ai eu droit à de nombreux commentaires racistes à leur endroit. On me faisait ces commentaires sur le ton de la fraternisation. Comme si tout le monde dans le bar sympathisait avec le KKK. Ces Blancs racistes n'étaient pas conscients de s'adresser à un Nègre blanc. J'aurais peut-être dû leur dire que je les trouvais abjects, mais je n'avais pas envie de me retrouver dans une situation où il aurait fallu que je me batte.

Durant cette fin de semaine, j'ai essayé de communiquer avec des Noirs, mais en vain. J'ai finalement compris que chacun devait aller de son côté. J'ai vécu la même expérience dernièrement en France. Habituellement, quand je me retrouvais à Paris, j'ai toujours aimé fréquenter les bars que fréquentent les Noirs. Depuis l'élection de Sarkozy, je n'ai plus osé y mettre les pieds tellement je ne me suis pas senti le bienvenu.

Certes, Barack Obama, un métis, est président des États-Unis. Les Noirs ont gagné plus de respect de la part de la majorité blanche états-unienne que les Nègres blancs d'Amérique de celle des Canadiens anglais. Cela dit, les Noirs devraient faire une guerre de tranchées de tous les instants contre les Blancs pour revendiquer leurs droits. La première chose à faire serait de s'allier aux hispanophones. De la même façon que beaucoup de Noirs sont devenus musulmans dans les années 1960 — souvenons-nous de Cassius Clay, qui est devenu Muhammad Ali —, les Noirs devraient abandonner l'anglais au profit de l'espagnol. Je suis convaincu que cette stratégie serait révolutionnaire et rétablirait l'équilibre des forces. Chose certaine, l'establishment paniquerait, ce qui est toujours une bonne chose.

Les Noirs ont manqué leur coup en s'alliant aux Blancs lors du vote sur la Proposition 227. Il a suffi que les Blancs disent aux Noirs : « Battons-nous pour l'anglais et contre ces sales Latinos ! » pour que les Noirs tombent dans le panneau. Une fois que les Noirs sont partis se battre, les Blancs ont dit : « Ah ! Ces sales nègres ! » « En 1998, la Proposition 227 prescrit l'usage obligatoire de l'anglais comme langue unique dans les écoles publiques. Les Californiens adoptent cette proposition lors d'un référendum en 1998 par 61 %. Le but réel de cette proposition est l'assimilation des non-anglophones au moyen de l'anglicisation rapide. «En coupant les vivres aux hispanophones en matière d'enseignement dans leur langue, les Anglo-Californiens blancs ont fait un geste de résistance culturelle et politique parce qu'ils ont eu peur. Et pourtant, les hispanophones ne demandent pas mieux que d'apprendre l'anglais et de devenir de vrais Américains. Une majorité de Latinos ont d'ailleurs voté en faveur de la Proposition 227[129].»

Avant d'être assermenté président des États-Unis, Barack Obama s'est recueilli à côté de l'immense statue d'Abraham Lincoln, qui trône au centre de la Maison-Blanche, et il a affirmé que Lincoln était son président préféré pour ce qu'il avait fait pour les Noirs et pour les États-Unis. Pourtant, Lincoln était loin d'être un abolitionniste indéfectible. Cette déclaration le prouve: «Mon objectif essentiel dans ce conflit est de sauver l'Union. Ce n'est pas de sauver ou de détruire l'esclavage. Si je pouvais sauver l'Union sans libérer aucun esclave, je le ferais. Si je le pouvais en libérant tous les esclaves, je le ferais. Et si je le pouvais en en libérant quelques-uns sans toucher au sort des autres, je ferais cela aussi[130].»

Et ne me dites pas que Barack Obama ne connaît pas bien le personnage! Cette autre déclaration de Lincoln exprime très bien son racisme. «Je dirai donc que je ne suis pas, et que je n'ai jamais été, en faveur de l'égalité politique et sociale de la race noire et de la race blanche, que je ne veux pas, et que je n'ai jamais voulu, que les Noirs deviennent jurés ou électeurs ou qu'ils soient autorisés à détenir des charges politiques, ou qu'il leur soit permis de se marier avec des Blancs. […] Dans la mesure où les deux races ne peuvent vivre ainsi, il doit y avoir, tant qu'elles resteront ensemble, une position inférieure et une position supérieure. Je désire, tout autant qu'un autre, que la race blanche occupe la position supérieure[131].»

En fait, si Barack Obama disait ce qu'il pense vraiment, il serait obligé de dire que Lincoln était le meilleur des moins pires.

129. ROUSSEAU, Normand, *op. cit.*, p. 340.
130. *Histoire sociolinguistique des États-Unis, L'Amérique anglocentrique.* www.tlfq.ula-val.ca/axl/amnord/usa_6-5histoire.htm
131. *Larousse.fr.* http://www.larousse.fr/LaroussePortail/encyclo/XHTML/EUL.Online/explorer.aspx?=107954#larousse/107954/15/Lincoln

INTOLÉRANCE

Hannah Arendt se demandait si c'était le darwinisme qui fournissait «les armes idéologiques de la domination des races». Chose certaine, les Anglais croyaient à la supériorité de leur race. Pour reprendre encore une fois la pensée memmienne, est-il surprenant de savoir que c'est un Écossais et non pas un Anglais qui a fait la déclaration la plus hallucinante sur la supériorité de la race anglaise? En effet, le poète écossais John Davidson a écrit ce beau slogan dans son testament, publié en 1908. «L'Anglais est le Surhomme, et l'histoire de l'Angleterre est l'histoire de son évolution.»

«Lors des débats autour de la création de la Société des Nations, l'ancêtre de l'Organisation des Nations unies, les représentants japonais proposent d'y inclure une clause d'égalité raciale. En dépit d'un certain soutien français, Tokyo ne parvient pas à faire reconnaître ses intérêts de puissance asiatique face à l'opposition des É.-U. et de la G.-B.; sa proposition est écartée[132].» Autrement dit, le monde ne serait juste que si les Anglais et les États-Uniens se retrouvaient au sommet. «L'inégalité sociale étant la base de la société anglaise, les conservateurs britanniques éprouvèrent quelque gêne quand on se mit à parler "de droits de l'homme". Selon l'opinion couramment répandue par les Tories du XIXᵉ siècle, l'inégalité faisait partie du caractère national de l'Angleterre. Disraeli trouvait "quelque chose de mieux que les Droits des Hommes dans les Droits des Anglais[133]" […]».

Cet ethnocentrisme et cet impérialisme ont justifié le génocide amérindien et la déportation des Acadiens, et il s'en est fallu de peu pour que les Québécois connaissent le même sort. «Balayons les

---

132. POSTEL-VINAY, Karoline, *L'Occident et sa bonne parole. Nos représentations du monde, de l'Europe à l'Amérique hégémonique*, Paris, Flammarion, 2005, p. 85.
133. ARENDT, Hannah, *op. cit.*, p. 97.

Français de la face de la terre. Cette province [Québec] doit devenir anglaise, dut-elle pour cela cesser d'être britannique. Il faut que la paix et la prospérité soient assurées aux Anglais, même aux dépens de la nation canadienne[134] entière[135]. »

Les plus récalcitrants me diront que c'est de l'histoire ancienne. Pourtant, les groupes les plus racistes et les plus extrémistes au monde, comme le Ku Klux Klan et les mouvements White Power, existent toujours et viennent des États-Unis. D'ailleurs, ils tirent leurs origines de mouvements similaires nés en Angleterre, comme les WASP et les Orangistes, qui eux aussi existent toujours. Certes, les nazis allemands ont été les plus extrémistes de tous, mais le parti nazi a été élu en 1933, et Hitler est mort en 1945. Douze ans en tout! Les Anglais et les États-Uniens sont racistes et intolérants avec un « r » et un « i » majuscules depuis bien plus longtemps!

Je le répète: il faudrait commencer à faire preuve d'indulgence à l'égard des Allemands. Ils agissent comme des enfants modèles dans cette Europe unifiée qui ne l'est pas toujours. Ils ont par exemple remplacé le mot allemand « Gemeinschaft » par sa traduction anglaise, française ou espagnole: union. Ils ont commencé à peindre toute leur flotte de véhicules de la police en bleu pour faire plus européen. Malgré tout, ils ont toujours le mauvais rôle. Voyons l'exemple d'un film récent intitulé Joyeux Noël. Ce film, qui raconte une histoire vraie, relate la réconciliation passagère des camps allemand, français et britannique pendant la Première Guerre mondiale, le temps de la nuit de Noël. La vérité est que cette pause a été l'initiative du camp allemand, alors que dans le film, c'est à un Irlandais que revient cet honneur.

Quoi qu'ils fassent, les Allemands seront toujours les méchants et les Anglais ou les États-Uniens, les bons. Peut-être que les Allemands devraient réfléchir à cette réalité. En singeant les États-Uniens comme ils le font, en écoutant surtout de la musique anglophone et en se mettant autant à l'anglais, ont-ils l'impression de se mettre du côté des bons? L'évidence est qu'ils devraient voir ailleurs. Ces Anglais et ces États-Uniens, champions pour jeter de la poudre aux yeux, ne se servent-ils pas des Allemands pour occulter leurs

---

134. À cette époque, « canadienne » voulait dire « québécoise ».
135. *Montreal Herald*, novembre et décembre 1838, *in* Filteau, Gérard, *Histoire des Patriotes*, Québec, Septentrion, 2003, p. 70.

propres fautes ? Les Allemands, en étant aussi soumis à l'anglais, ne se font-ils pas justement les complices de cette machination qui joue bien évidemment contre eux ?

L'ÉLOGE CONTEMPORAIN DE L'IMPÉRIALISME

Les Anglais et les États-Uniens ne cachent pas leur dessein de vouloir assujettir le monde. Pour commencer, voici une déclaration de Charles Krauthammer, éditorialiste du *Washington Post*, datant de 1999. « Le fait est que, depuis Rome, aucun pays n'a été culturellement, économiquement, techniquement et militairement aussi dominant [que les États-Unis[136]] ». Il ajoutait : « L'Amérique enjambe le monde comme un colosse (…). Depuis que Rome détruisit Carthage, aucune autre grande puissance n'a atteint les sommets où nous sommes parvenus[137]. » L'année précédente, ce néo-conservateur avait écrit dans le même journal : « Le XVIIIe siècle fut français, le XIXe anglais, et le XXe américain. Le prochain sera à nouveau américain[138]. »

Votre dentier est tombé par terre ? Eh bien, attendez de lire cet autre texte trouvé sur le site de Jacques Leclerc. « Un article du journal britannique *The Guardian* du 29 novembre 2001 reflète bien la perception de la presse britannique qui prônait que "la solution la plus simple et la plus économique serait de n'utiliser que la langue anglaise". En réalité, cette perspective, toute simple pour les États anglophones, ne l'est pas autant pour la totalité des peuples pour lesquels l'anglais n'est pas la langue maternelle, c'est-à-dire 92 % de l'humanité[139]. » Je ne veux pas faire mal paraître le brillant chercheur de Québec, mais le site de la CIA, qui promeut sans aucun doute l'impérialisme anglo-états-unien,

---

136. GOLUB, Philip S., « Les Dynamiques du désordre mondial : Tentation Impériale », *Le Monde diplomatique*, septembre 2002. www.monde-diplomatique.fr/2002/09/GOLUB/16900

137. *Ibid.*

138. *Ibid.*

139. LECLERC, Jacques, *Histoire sociolinguistique des États-Unis, La superpuissance et l'expansion de l'anglais*. www.tlfq.ulaval.ca/axl/amnord/usa_6-8histoire.htm

révèle que seule 4,68 % de la population mondiale parle l'anglais comme langue maternelle[140].

Ces propos, qui ne viennent pas de leaders groupusculaires extrémistes, détonnent grandement par rapport aux valeurs de paix universelle véhiculées dans le monde d'aujourd'hui. Les étudiants d'HEC en France, où les cours du MBA sont donnés uniquement en anglais, doivent savoir qu'ils participent au discours sauvage de l'impérialisme anglo-états-unien. La même chose pour tous ceux qui défendent l'anglais comme langue internationale.

Faisons preuve de lucidité comme le fait le grand écrivain italien Umberto Eco. «Les raisons pour lesquelles se sont imposées aussi bien les langues naturelles que les langues véhiculaires sont en grande partie extralinguistiques [...]. Le succès actuel de l'anglais est né de l'addition de l'expansion coloniale et commerciale de l'Empire britannique et de l'hégémonie du monde technologique des États-Unis. On peut certainement soutenir que l'expansion de l'anglais a été facilitée par le fait qu'il s'agit d'une langue riche en monosyllabes [...], mais, si Hitler avait gagné la guerre, [...] ne pourrait-on pas faire l'hypothèse que la terre entière aujourd'hui parlerait avec la même facilité en allemand, et que la publicité pour les transistors japonais au *duty free shop* (autrement dit *Zollfreier Waren*) de l'aéroport de Hong Kong serait en allemand?[141]».

En dénonçant avec beaucoup de zèle et d'acharnement les horreurs nazies, Hollywood élude la question de l'impérialisme anglo-états-unien. Autrement dit, le cinéma états-unien en est l'outil de promotion. C'est ce qui explique pourquoi les États-Unis déploient tellement d'efforts à promouvoir leur cinéma. « [L]es productions américaines investissent plus de 90 % du marché en Allemagne ainsi qu'en Belgique francophone, plus de 80 % en Italie et en Espagne, et près de 60 % en France. L'importation des films doublés aux États-Unis demeurent strictement interdite, maintien volontaire de l'isolement culturel des États-Unis afin de favoriser plutôt la propagation de l'idéologie américaine dans le monde[142].» Évidemment, cette propagande cinématographique a pour effet de rendre les spectateurs plus complaisants à l'égard de l'impérialisme anglo-états-unien.

---

140. C.I.A, « The World Factbook ». https://www.cia.gov/library/publications/the-world-factbook/geos/xx.html
141. LECLERC, Jacques, *op. cit.*
142. *Ibid.*

LÂCHES ET PIRATES

Au cheval maigre va la mouche.
PROVERBE FRANÇAIS

Mérite suscite envie.
PROVERBE FRANÇAIS

Je veux bien croire que la France et l'Angleterre étaient en guerre, mais l'Amérique était grande. Il y avait de la place pour tout le monde, même pour les Amérindiens. Champlain a fondé Port-Royal en Acadie en 1604. Les Anglais ont fondé Jamestown en 1607. Pourquoi les Anglais se sont-ils emparés de Port-Royal la même année ? Voulaient-ils profiter d'installations déjà construites ? Les Anglais ne voulaient-ils pas salir leurs chemises blanches ? Les frères Kirke, des Anglais, qui ont vécu en Bretagne et en Normandie, qui travaillaient pour le compte de l'Angleterre, ont assiégé Québec pendant quelques mois après sa fondation en 1608. Cette invasion de la ville qui allait devenir le cœur de l'Amérique française a duré assez longtemps pour convaincre Jean Nicolet, qui est mon ancêtre, de se réfugier en Ontario et de se marier à une Nipissing.

Les Anglais se sont comportés en pirates, et il n'est pas surprenant que le capitaine Cook soit encore un héros en Angleterre. Les Anglais ont agi en pilleurs en Amérique et, plus tard, en Inde, en Chine et en Argentine.

Depuis la fin de la Seconde Guerre mondiale, les États-Unis ont pris le relais de l'Angleterre et qu'ont-ils fait ? Ils s'en sont toujours pris à des petits pays sans défense : Cuba, le Vietnam, le Panama, le Nicaragua, l'Irak, l'Afghanistan.

Et pendant ce temps-là, Hollywood fait des États-Uniens des héros ! C'est une honte !

LA CAPITULATION DES AUTRES LANGUES

Il n'y a de combats perdus que ceux que l'on ne mène pas.
PHILIPPE DE SAINT-ROBERT

Quand un peuple n'ose plus défendre sa
langue, il est mûr pour l'esclavage.
REMY DE GOURMONT

Je commencerai par commenter la dernière citation. Je vais expliquer ma position en racontant deux anecdotes. Je suis déjà allé à la Nouvelle-Orléans, où le français est pour ainsi dire une histoire du passé. L'auteur-compositeur-interprète cadien Zachary Richard, qui est dans la cinquantaine, est l'un des plus jeunes Louisianais à parler le français. Selon lui, le français n'est pas encore complètement mort en Louisiane. Je souhaite qu'il ait raison. Chose certaine, la Nouvelle-Orléans m'a paru être une ville qui avait perdu son âme. La perte de son caractère français est une perdition. Les États-Uniens, en cherchant à donner une touche française artificielle à la ville, ont instauré une tradition voulant que les filles montrent leurs seins en échange d'argent. Voici la belle équation : bordels et putes égalent culture française. Est-il possible de nager plus dans le cliché ? Décidément, la Nouvelle-Orléans est une ville pathétique.

Je suis aussi allé à la colonie allemande de Tovar, située à une soixantaine de kilomètres au nord de Caracas au Venezuela. Cette colonie, qui date du milieu du XIXe siècle, avait préservé sa langue jusqu'à la fin des années 1970. Aujourd'hui, presque plus personne ne parle l'allemand. J'ai perçu un immense vide chez ces descendants de colons allemands. J'ai eu la nette impression que, en perdant leur langue, ils ont tout perdu. Ils ne sont plus Allemands ni Venezueliens ; ils ne sont rien du tout.

L'Europe est-elle en train de connaître ce sort? Les différentes langues européennes sont-elles en train de disparaître au profit de l'anglais? Le ministre de la Culture et de la Francophonie du gouvernement Balladur, Jacques Toubon, avait tiré la sonnette d'alarme en 1994 en votant une loi pour renforcer le statut du français en France. Cette loi, nous rappelle Bernard Cassen, directeur du *Monde diplomatique*, lui a valu des sarcasmes non seulement au Royaume-Uni, mais aussi en France, et j'ajouterais au Québec. «C'est Edwy Plenel qui, à la une du *Monde*[143], avait donné le ton: selon lui, cette loi exprimait «le regret d'une France défunte, imposant sa langue par sa puissance coloniale, impériale, diplomatique, économique et n'était que la mise en scène de la nostalgie d'une gloire morte, l'expression d'un déclin auquel on ne se résout pas, mais que l'on est incapable de conjurer[144].»

Faut-il se surprendre de cette déclaration faite par un autre journaliste du grand quotidien français? «Nous sommes tous des Américains[145].»

Je prends la liberté d'une autre tergiversation qui me permettra de mieux étayer mon propos. Bon nombre de Québécois n'aiment pas les Parisiens, affirmant qu'ils sont déplaisants et arrogants. En fait, les Parisiens se plaisent à piquer les gens pour les tester, pour voir ce qu'ils ont dans le ventre. Frustré d'avoir perdu ses élections à la présidence de la Deuxième République, le poète Lamartine avait déclaré que les Français avaient une grande gueule, mais le ventre mou. Je me suis toujours plu à dire que les Québécois étaient comme les Français, la grande gueule en moins. Les Français sont, en effet, de bons râleurs, mais ils n'ont pas le ventre si mou. Quand on veut vanter les Français, on dirait qu'il y a toujours un Belge qui se pointe. Je pense notamment à Noël Godin, le roi de l'entartage. Pour ceux qui ne savent ce que c'est, l'entartage, qui a connu ses heures de gloire dans les années 1990, consiste à lancer une tarte à la crème à la figure d'une personnalité ridicule. La preuve que les Québécois ne sont pas si mous, il y a eu une vague d'entartage au Québec. Suis-je en train de suggérer qu'il aurait fallu entarter Plenel

143. 4 mai 1994.
144. CASSEN, Bernard, «Contre le "tout anglais", *Le Monde diplomatique*. http://www.mondediplomatique.fr/2007/08/CASSEN/15038
145. COLOMBANI, Jean-Marie, *Le Monde*, 13 septembre 2001.

et Colombani? Oui, bien sûr. Mais les Français ont eu une autre idée en mettant sur pied le prix de la Carpette anglaise. «C'est un prix d'indignité civique décerné annuellement à un membre des élites françaises qui s'est particulièrement distingué par son acharnement à promouvoir la domination de l'anglo-américain en France et dans les institutions européennes au détriment de la langue française. Le prix de la Carpette anglaise distingue plus spécialement les déserteurs de la langue française qui ajoutent à leur incivisme linguistique un comportement de veule soumission aux diktats des puissances financières mondialisées, responsables de l'aplatissement des identités nationales, de la démocratie et des systèmes sociaux humanistes[146].»

Parmi les lauréats figure, bien sûr, l'éditorialiste du *Monde*. «2002: Jean-Marie Colombani, directeur de la publication du Monde qui publie sans la moindre réciprocité, et à l'exclusion de toute autre langue, un supplément hebdomadaire en anglo-américain tiré du New York Times[147].»

En fait, tous les chantres de l'anglais récompensés par ce prix se couvrent de ridicule par leur à-plat-ventrisme. «2008: Mme Valérie Pécresse, ministre de l'Enseignement supérieur et de la Recherche pour avoir déclaré que le français était une langue en déclin et qu'il fallait briser le tabou de l'anglais dans les institutions européennes.

«2007: Mme Christine Lagarde, ministre de l'Économie et des Finances qui communique avec ses services en langue anglaise, par 8 voix contre 4 à M. Jean-Marie Bockel, secrétaire d'État à la Francophonie, qui a publiquement célébré les futurs bienfaits du protocole de Londres. [...]

«2004: Claude Thélot, président de la Commission du débat national sur l'avenir de l'école, pour avoir considéré "l'anglais de communication internationale" comme un enseignement fondamental, à l'égal de la langue française et avoir préconisé son apprentissage par la diffusion de feuilletons américains en V.O. sur les chaînes de la télévision française.

«2003: le Groupe HEC, dont le directeur général, Bernard Ramanantsoa, a déclaré en décembre 2002: "Dire que le français est

---

146. *Historique de la carpette anglaise.* http://www.langue-francaise.org/Articles_
    Dossiers/Carpette_historique.php
147. *Ibid.*

une langue internationale de communication comme l'anglais prête à sourire aujourd'hui". [...]

« 2001 : Jean-Marie Messier, PDG de Vivendi Universal, pour avoir systématiquement favorisé l'anglais comme langue de communication dans ses entreprises.

« 2000 : Alain Richard, ministre de la Défense, pour avoir obligé les militaires français à parler anglais au sein du corps européen alors qu'aucune nation anglophone n'en fait partie[148]. »

À cela, on peut ajouter cet autre exemple de capitulation. « La Française Christine Lagarde, qui préside ce conseil informel, le Français Christian Noyer, gouverneur de la Banque de France, le Français Xavier Musca, le directeur du trésor français, et le Français Jean-Claude Trichet [président de la Banque centrale européenne] se sont ingéniés à parler anglais tout au long de l'après-midi qui était consacré à la crise financière, alors qu'une interprétation était disponible.

« Parmi les douze intervenants extérieurs invités par les ministres des Finances de l'Union afin d'éclairer les gouvernements sur ce sujet, le Français Michel Pébereau, président de BNP Paribas, s'est lui aussi exprimé en anglais.

« Seule la Française Pervenche Berès, la présidente de la Commission des affaires économiques et monétaires du Parlement européen, n'a pas hésité à passer pour une plouc totale en parlant... français. Oui, elle a osé ! Faut-il ajouter un commentaire ?

« P.-S. : les délégations belge et luxembourgeoise se sont retrouvées un peu seule pour parler français. Certains diplomates de ces deux pays n'en sont toujours pas revenus[149]... »

En Allemagne, la situation est encore plus inquiétante. J'ai passé trois mois dans ce pays à l'âge de 19 ans, en 1984. À cette époque, les Allemands détestaient pour la plupart Reagan et ils n'étaient pas trop férus de la langue de Shakespeare. Aujourd'hui, la situation a radicalement changé. L'anglais est omniprésent. En 2006, l'Allemagne était l'hôte du Championnat du monde de football. Les Allemands avaient deux mois pour apprendre deux mots au monde entier, soit

---

148. *Ibid.*
149. LAVAL, Brigitte, « Réunion à Nice en anglais. "Speak White", 15 septembre 2008. http://www.francophonie-avenir.com/Index%20BL%20Réunion%20à%20 Nice%20en%20anglais.htm

« Deutschland » et « Weltmeisterschaft[150] ». Ils ont choisi l'anglais : « Germany » et « World Championship ». J'avoue que j'ai eu honte pour eux. C'est la même chose avec la Deutsche Welle, cette chaîne de télévision internationale allemande dont une bonne partie de la programmation est diffusée en anglais. Il faut dire que l'émission du matin à TV5 fait toujours jouer de la musique anglophone.

Au Québec, les postes de radio doivent respecter des quotas de 65 % de musique francophone. Il n'empêche que le Québec fait aussi preuve de capitulation devant l'anglais, surtout quand il s'agit de prononcer des mots ou des noms étrangers. Systématiquement, presque tous les journalistes les prononcent à l'anglaise. En Allemagne, il existe un phénomène semblable. Les jeunes Allemands prononcent tous les noms de villes et de pays anglophones à l'anglaise. Ainsi, ils ne disent pour la plupart plus « Australien », mais bien « Australia » pour dire Australie. Jadis, pour parler de la deuxième ville francophone du monde, les Allemands disaient « Monne-tré-al », mais, aujourd'hui, ils prononcent « Montreal » à l'anglaise. Il n'est pas surprenant que bien des Allemands pensent que l'anglais est la seule langue officielle du Canada. C'est d'ailleurs l'image que le Canada se donne à l'étranger. Je me souviens trop bien de ces immenses affiches à Satu Mare en Roumanie — un pays où 20 % de la population a des notions de français — qui invitaient les Roumains à immigrer au Canada et sur lesquelles on offrait de l'aide aux futurs immigrants pour remplir leurs formulaires en anglais.

Je suis peut-être obsessif, mais, pour moi, le comble du comble, c'est la capitulation devant le système de mesures anglais, appelé système impérial. Certes, l'Union européenne a mis le Royaume-Uni au pas en l'obligeant à adopter le système métrique, mais les États-Unis imposent le système impérial au reste du monde, et toutes les compagnies aériennes leur ont emboîté le pas comme Lufthansa, dont la carte de fidélisation s'appelle « Miles and more ». Air France n'est pas mieux. Depuis l'achat de KLM, « Fréquence Plus » est devenu « Flying Blue ».

Selon sa Constitution, l'Europe est multilingue. « Traduction et aide à la rédaction dans les langues de l'Union européenne : L'Union européenne possède 23 langues officielles, dans lesquelles elle doit

---

150. En français, « Allemagne » et « Championnat du monde ».

notamment publier sa législation. Elle doit également pouvoir communiquer avec les autorités et la population des États membres dans leur propre langue[151]. »

Pourtant, tel un rouleau compresseur, l'anglais s'attaque à l'Europe. « La dérive anglophone de la Commission européenne s'accélère. En moins de dix ans, le français est devenu une langue minoritaire au sein de l'exécutif européen, seuls 14 % des documents étant encore rédigés en français et ça diminue. Depuis que le Portugais José Manuel Durão Barroso préside la Commission, c'est toute l'information et la communication vers l'extérieur qui se font presque uniquement en anglais. La preuve ? Au mépris de la règle non écrite de l'équilibre entre les nationalités, le service du porte-parole, dirigé par l'Allemand Johannes Laitenberger, est devenu un vrai bastion anglophone[152]. »

« Plus étrange encore, l'adoption progressive de l'anglais comme langue commune dans les institutions européennes, où le Royaume-Uni brille pourtant par son absence. Pourquoi les gouvernements souverains (allemand, italien, français, espagnol) ne favorisent-ils pas plus ardemment le plurilinguisme ?[153] »

Il n'est pas trop tard pour faire marche arrière, mais il faut agir. « L'anglais est en train de devenir également la *lingua franca* de l'économie et de la politique. Ce fait est identifié et accepté par la population européenne, qui envoie plus de 90 % de ses enfants dans des classes d'anglais première langue. Est-ce un danger ? Cela dépend. Il est possible qu'une *lingua franca* soit aussi utile et souhaitable en économie et en politique qu'en science. Mais pour réduire les effets pervers de cette domination, il faut que l'idéologie qu'elle véhicule soit identifiée en tant que telle. Pour cela, il faut augmenter le nombre de langues enseignées afin que les Européens puissent aussi se parler autrement qu'en anglais et ainsi percevoir d'autres conceptions du monde[154]. »

151. Commision européenne, « Aide linguistique ». http://ec.europa.eu/translation/index_fr.htm

152. Peskine, Laure, « Le français est moribond à la Commission européenne », *Libération*, le 7 janvier 2008. http://www.aplv-languesmodernes.org/spip.php?article652

153. Duteurtre, Benoit, « Faut-il encore se battre contre l'hégémonie de l'anglais ? », Lettres, éditée par l'Association pour la sauvegarde et l'expansion de la langue française, 21 août 2000.

154. Frath, Pierre, « Hégémonie de l'anglais : fantasmes et dangers », Université Marc Bloch. http://u2.u-strasbg.fr/spiral

L'ANGLAIS, UNE LANGUE PRESQUE INUTILE

Durant mes études secondaires, j'étais au Collège Mont-Saint-Louis. En 4e secondaire, Daniel Boileau, mon professeur d'histoire, qui donnait un cours fascinant, m'a nommé chef du camp du OUI. Toutes les semaines, à partir du début du mois de mars, nous faisions des débats entre les sympathisants du camp du OUI et ceux du camp du NON. Le leader du camp du NON s'appelait Antonello Callimaci. C'est un grand blond aux yeux bleus très sympathique. Je me souviens que, au début, il avait dit qu'il se rallierait au camp du OUI et puis, il s'est ravisé. Ses parents l'ont-ils menacé de le déshériter ? Je ne sais pas. Les souverainistes ne courent pas les rues dans la communauté italo-québécoise.

Contrairement à 75 % des gens de sa communauté, Antonello a choisi le français et, aujourd'hui, il est professeur titulaire à l'Université du Québec à Montréal. Il y a à peu près deux ans, je l'ai rencontré par hasard dans un bar du Plateau Mont-Royal. On a tout de suite commencé à rire, et, pour le provoquer, je lui ai demandé s'il était encore fédéraliste. Non seulement l'était-il encore, mais il en était encore plus convaincu. À un moment donné durant la soirée, il m'a même dit que le colonialisme anglais avait été une bonne chose pour le Québec. J'étais estomaqué de l'entendre clamer que le Québec n'aurait pas pu se développer sans l'aide des colons anglais.

Si les Anglais sont tellement supérieurs, comment se fait-il que Paris soit un million de fois plus beau que Londres ? Poser la question, c'est y répondre. Les colons français auraient pu bâtir avec les Amérindiens un continent extraordinaire si ce n'avait pas été des colons anglais. D'ailleurs, malgré l'oppression des Anglais, les Canadiens français ont réalisé de belles choses.

Certes, Chicago, Boston et Nueva York sont des villes sublimes, mais que dire de Rio de Janeiro, de La Havane ou de Québec ? Les colons français ont peut-être apporté une contribution moins grande que les Anglais en Amérique, mais ils peuvent se vanter d'avoir davantage vécu en symbiose avec les Premières Nations. À ce sujet, je rejette l'argument selon lequel les conquistadors espagnols ont été les plus barbares de tous les colons. Certes, ils ont été des plus cruels et sanguinaires à leur arrivée sur le Nouveau Continent, mais ils ont fini par se comporter de façon plus humaine avec les Amérindiens. Les colons anglais les ont exterminés de façon systématique et presque totale. Au Mexique, bien que la *lingua franca* soit l'espagnol, 62 langues indigènes sont toujours parlées, dont le maya, par deux millions de personnes. Les cultures indigènes font partie de l'identité culturelle mexicaine. Les États-Unis les ont éliminées. Malgré tout, les colons anglais ont beaucoup contribué au développement de l'Amérique, mais l'apport des colons espagnols et portugais est aussi grand, sinon plus. Bien sûr, l'Amérique latine et le Brésil n'ont pas la puissance économique des États-Unis et du Canada, mais cela viendra. Jusqu'à maintenant, les États-Unis ont toujours réussi à les affaiblir, mais ces temps me semblent révolus.

Contrairement à Christian Dufour, qui est pourtant un de mes alliés idéologiques, je n'ai pas beaucoup d'affinités avec Nueva York. « La première fois que je me suis rendu en 1968 dans cette voisine de Montréal qu'est New York, j'avais dix-huit ans et ne parlais à peu près pas anglais. Pourtant, je m'étais senti alors davantage chez moi dans la métropole américaine que ce ne serait le cas, quelques années plus tard, quand je me retrouverais pour la première fois à Paris, cette ville dont j'avais tant rêvé[155]. » Pour ma part, je ne mettrais plus jamais les pieds aux États-Unis et au Canada et je ne m'en porterais pas plus mal. J'ai adoré la statue de la Liberté, mais voyez-vous, ce symbole états-unien par excellence est français ! Qui plus est, la vague anti-française qui a déferlé sur tous les États-Unis quand la France a décidé de ne pas appuyer la guerre en Irak m'a particulièrement dégoûté.

Je n'aime pas ces Londoniens qui portent des chemises, qui travaillent dans des bureaux et qui semblent encore profiter des avantages de l'époque coloniale. En effet, les Anglais ne semblent pas travailler beaucoup. Leurs fruits, leurs légumes : tout est importé. Ils profitent des avantages d'une devise forte. J'ai essayé d'être sociable

---

155. Dufour, Christian, *op. cit.*, p. 92.

avec les Londoniens. Je suis allé dans les pubs. Inutile de parler de filles avec les Anglais, ça ne passe pas. Un type m'a raconté que sa tante avait vécu à Montréal toute sa vie, mais qu'elle n'avait jamais parlé français de sa vie. Il y en a beaucoup comme elle à Montréal. J'ai conversé avec un Italien qui me racontait que les immigrants italiens étaient considérés comme des citoyens de troisième zone. J'ai commandé du whisky irlandais et je me souviens d'avoir été mal vu pour ça. J'ai vu des Anglais qui se soûlaient et qui allaient ensuite manger du poulet ou du poisson frits pour dégriser un peu avant de rentrer à la maison.

Je me rappelle une amie d'enfance qui a eu sa période britannique. Avant d'aller au Royaume-Uni, elle parlait anglais avec l'accent. À son retour, elle était déçue. Le faste des musées anglais l'avait dégoûtée. « Mais ce sont de vrais pirates, ils ont pillé le monde entier ! » clamait la belle Jutta Vieth.

Ces plus ou moins mauvaises expériences dans des pays anglophones ont au moins eu quelque chose de positif : elles m'ont convaincu de devenir polyglotte. Quelle joie et quelle richesse de découvrir les différents pays du globe et de parler la langue des gens du pays ! Maxime Gorki disait que chaque langue parlée par un individu confère à celui-ci une nouvelle personnalité. Selon la vision du grand écrivain russe, je serais huit hommes à la fois. Chose certaine, je ne suis pas le même homme quand je parle allemand, russe ou espagnol. Et puis, quand je parle anglais, je ne suis pas à mon « top niveau ».

Le jour où le monde adoptera une autre langue commune que l'anglais, cette langue deviendra pour moi inutile.

L'OISIVETÉ EST LA MÈRE DE TOUS LES VICES

J'ai toujours trouvé que les pages roses du dictionnaire Larousse étaient fascinantes. Il y a tellement de sagesse dans les proverbes. Le titre de ce chapitre en est un. Pour ceux qui ne le savent pas, « oisiveté » est un synonyme de paresse.

J'ai souvent rencontré des gens qui m'ont dit qu'ils n'aimaient pas le français parce que c'est une langue difficile. Moi, au contraire, j'adore les langues difficiles. Non seulement le français, mais aussi le russe et l'allemand. J'ai toujours été convaincu que l'apprentissage d'une langue difficile développait l'intelligence et la mémoire.

Je ne suis pas le seul à le croire. Croyez-le ou non, j'ai étudié au Collège Dawson. Mon professeur d'anglais, un homme génial du nom de George Hildebrand, ne cessait de vanter les mérites du bilinguisme. Il clamait continuellement que les gens bilingues étaient plus intelligents.

L'anglais n'est pas une langue facile. Par contre, les États-Uniens ont modelé cette langue pour la rendre non seulement facile, mais presque imbécile. Il y a des gens qui ont un niveau de langage tellement bas — et pas seulement des anglophones — qu'ils ne peuvent même pas exprimer certaines idées.

Oui, Hildebrand avait raison. Il faut au moins être bilingue. La simplification à outrance d'une langue mène droit à la décadence : si le niveau de langage est tellement bas que les gens ont de la difficulté à comprendre et à être compris, il y a un problème. Eh bien, avec l'anglais, on est rendus là. En fait, il faut être rendus bien bas pour succomber à tous les attrape-nigauds de la culture états-unienne. Je suis convaincu que le fameux rêve états-unien mène à une société d'imbéciles heureux dont les seules devises sont : « J'ai de l'argent, donc je suis » et « Je consomme ce qui est à la mode, donc je suis. »

UNE CIVILISATION DÉCADENTE

L'espèce humaine en général, grâce au perfectionnement
de la cuisine, mange deux fois plus que la nature ne l'exige.
BENJAMIN FRANKLIN

Rien n'est plus doux que le miel, sauf l'argent.
BENJAMIN FRANKLIN

Les États-Unis d'Amérique forment un pays qui est passé directement
de la barbarie à la décadence sans jamais avoir connu la civilisation.
ALBERT EINSTEIN

Depuis 1989, on ne cesse de dire que les États-Uniens ont gagné la guerre froide. Presque partout dans le monde, on célèbre avec enthousiasme la victoire du capitalisme sur le communisme. Pourtant, il faut regarder la vérité en face : le capitalisme a aussi perdu la bataille. Le modèle anglo-américain est de plus en plus animé par une cupidité démesurée. Le lendemain de Noël, les magasins vendent leurs produits à des prix très bas, et on nomme cette journée le Boxing Day. Le jour de la boxe, si vous voulez. Or, pendant que les gens prennent d'assaut les magasins, certaines personnes en viennent littéralement aux coups en s'arrachant les articles-vedettes. Le 27 décembre, ces images de violence gratuite — disons à 60 % de rabais — font le tour des médias de toute la planète, et tout le monde en rit. C'est comme si les gens se reconnaissaient dans ces comportements dégradants.

Un employé de Wal-Mart a été piétiné à mort le 28 novembre 2008, à l'occasion du Black Friday, jour de soldes succédant à l'Action de grâces états-unienne. Voici l'essentiel de la nouvelle telle qu'elle a été rapportée par le journal Métro de France deux jours après les événements :

« Jdimytai Damour, 34 ans, était employé au Wal-Mart de Long Island, dans l'État de New York, et assurait la sécurité à l'entrée du magasin. Horde sauvage. À 5 heures, heure officielle de l'ouverture, la horde d'acheteurs composée d'environ 2 000 personnes a défoncé les portes et forcé le passage, faisant tomber Jdimytai Damour à terre. Les gens ne se sont pas arrêtés et l'ont piétiné. À mort. Quelque 200 personnes lui seraient passées dessus. Emmené d'urgence à l'hôpital, il est décédé aux alentours de 6 heures du matin de ses multiples blessures. »

Le 1er janvier 2009, alors que j'écoute le journal télévisé de France 2, j'apprends qu'il y a un mort par heure à New Dehli à cause de la pollution de l'air.

Voici une anecdote. J'étais à New York avec un ami. Nous étions assis au bar de l'hôtel. Bière et whisky se succédaient à un rythme effréné, et la conversation était gaie et animée. À côté de nous étaient attablés une dizaine de Noirs et de Latinos. Nous nous sommes mis naturellement à leur sourire et nous leur avons porté un toast. Tous très sympathiques, ils ont levé leur verre à leur tour. Soudain, une des filles s'est mise à crier comme si elle venait de gagner le gros lot. « Bouffe gratuite », hurlait-elle. D'un seul coup, nos voisins ont pris d'assaut le buffet. Une Noire plutôt boulotte m'a tiré sur le bras pour m'inviter à la suivre. Elle avait les yeux allumés comme si elle allait admirer pour la première fois la tour Eiffel ou les pyramides d'Égypte. « Plus tard », lui ai-je répondu. Mon ami et moi avons attendu que tous se servent avant d'aller jeter un coup d'œil sur le buffet. Comme nous connaissions bien le pays, nous savions déjà ce que nous allions trouver sur le chariot. « Du gras, du gras, encore du gras », avons-nous entonné d'un ton ironique. Eh oui ! Ailes de poulet panées et frites, mozzarella pané et frit, des nachos et un immense bol de magma jaune qu'on appelle aux États-Unis du fromage. Nos voisins étaient stupéfaits de voir que nous étions revenus à notre place sans la moindre petite assiette. Pour ne pas perdre de temps dans des discussions inutiles, mon ami s'est contenté de dire : « Plus tard ». Un des Latinos avait l'air amusé. En Amérique centrale et en Amérique du Sud, « plus tard » veut dire demain, et « demain », jamais.

« Les Anglais, inspirés par le grand philosophe John Locke, avaient inventé un principe tordu : seule la culture d'une terre en permettait la propriété. Les nomades du monde entier n'avaient donc aucun droit de propriété sur les territoires qu'ils occupaient grâce à la chasse et à la cueillette. Forts de ce droit inique, les Anglo-Saxons se sont emparés illégalement, dans "leur" plus grande légalité, de tous les territoires des nomades du monde entier. En Australie, la justification de ces crimes reposait sur le fait que le pays des aborigènes était une "terra nullius", soit une terre nulle, un désert qui n'appartenait à personne[156]. » Je pourrais commenter cette citation en parlant de dépossession, mais ce qui me frappe le plus, c'est le mot désert. Qu'est-ce que les Anglais ont fait de ce « désert » ? Les Australiens ont-ils raison d'être fiers de ce qu'ils ont fait ? Quand on pense à toute la pollution en Australie, on ne peut pas être fiers. Quand on pense que leur économie dépend sur des principes aussi futiles que la surproduction et la surconsommation, on a raison d'être songeurs. C'est à se demander si les nomades n'avaient pas découvert la meilleure façon de vivre. Je pense spécialement aux Premières Nations. Leur parole pourrait rétablir l'équilibre de l'Amérique du Nord. On parle souvent du retour des choses. Eh bien, quelle punition les États-Unis ont-ils subie pour avoir exterminé les Amérindiens ? Je dirais que c'est la privation de la sagesse. En décimant ces sages Indiens, ils ont assassiné la sagesse.

Aux États-Unis plus qu'ailleurs, on assiste régulièrement à des fraudes hallucinantes. En 1997, un énorme scandale financier prend naissance au Canada. Bre-X prétend être en partie propriétaire d'un gisement de 53 millions d'onces d'or, et, d'un seul coup, le chiffre d'affaires de la compagnie s'élève à six milliards de dollars. Au bout de quelques mois, on se rend compte de l'arnaque : le gisement ne contient que très peu d'or. « Les combines de Walsh et de Felderhof ont fait plus de 50 000 victimes, qui ont perdu de 3 à 5 milliards de dollars. Au nombre des floués, la Caisse de dépôt et placement du Québec a perdu 70 millions de dollars, et le Fonds de pension des enseignants de l'Ontario a été dépouillé de 100 millions. David Walsh a toujours plaidé son innocence, mais ça ne l'a pas empêché, tout comme Felderhof, de transférer plusieurs millions de dollars dans des paradis fiscaux aux Bahamas et aux îles Caïmans[157]. »

---

156. ROUSSEAU, Normand, *op. cit.*, p. 151.
157. BISAILLON, Martin, « Brillante combine pour exploiter un faux gisement », *Le Journal de Montréal*, 17 février 2006. http://argent.canoe.com/lca/chroniques/scandalesfinanciers/archives/2006/02/20060217-152612.html

Vous avez remarqué que j'ai commencé à parler des États-Unis, et puis, j'ai bifurqué comme si de rien n'était en nommant le Canada. La seule différence entre les deux pays est celle-ci : au Canada, on déteste les Canadiens français, et, aux États-Unis, ce sont les Noirs et les Latinos qui y goûtent. Aux États-Unis, le phénomène est plus caché, mais, au Canada, on exprime sa haine publiquement. Les États-Unis sont peut-être plus hypocrites, mais j'aimerais que le Canada anglais les imite sur ce point. D'ailleurs, le Canada a encore beaucoup à apprendre des États-Unis. Au Canada, la police s'attaque aux faibles, et la justice protège les bandits. Aux États-Unis, on est sans pitié pour les violeurs d'enfants et les fraudeurs de petits épargnants.

Parlons d'un scandale financier encore plus important : « Enron, la septième plus grande entreprise américaine — et seizième au monde — est désormais synonyme de l'une des plus grandes escroqueries mondiales réalisées au détriment des employés et des petits actionnaires. Décembre 2001. La puissante société de courtage en énergie s'effondre dans la plus vaste faillite de l'histoire des États-Unis. Soixante-sept milliards de capitalisation boursière s'effondrent en quelques semaines[158]. »

Après la mort de Ken Lay à la suite d'une crise cardiaque, *Le Devoir* rapportait cette nouvelle : « Il risquait jusqu'à 165 ans de prison, mais sa peine exacte devait être annoncée le 23 octobre[159]. »

Il va sans dire qu'aucun pays au monde n'est à l'abri des escrocs, mais il semble évident que les plus grands scandales financiers viennent des États-Unis. On ne parle pas de millions de dollars, mais de dizaines de milliards. Bernard Madoff, à lui seul, a fraudé pour plus de 50 milliards de dollars. Au Canada, en plus de Bre-X, il y a eu Nortel. Au Québec, Vincent Lacroix. La fraude de ce dernier totalise 130 millions de dollars, et 9 200 investisseurs ont été escroqués dans cette affaire. Quelle a été sa sentence ? Huit ans et demi. Selon toute vraisemblance, il sera libéré après avoir purgé un sixième de sa peine. Moins de trois ans de prison pour un homme qui a détruit la vie de milliers d'épargnants. Comment est-ce possible, vous demandez-vous ? Au Canada, un escroc peut profiter de la clémence de la justice parce qu'il n'a commis qu'un crime économique. On sous-entend par là qu'il n'a tué personne. Oui,

---

158. Saulnier, Natasha, « Enron : un scandale emblématique », *L'Humanité*, 23 décembre 2002.
159. AFP, « L'homme qui incarnait le scandale Enron », *Le Devoir*, 23 juillet 2006.

mais combien de personnes se suicideront à cause de ce salaud ? Qu'on se le dise, la justice canadienne est une véritable farce !

On ne peut parler de la décadence des cultures anglaise et états-unienne sans aborder encore une fois le thème de la nourriture. Au Moyen-Âge, la peste a sévi. Aujourd'hui, c'est Pepsi. Oui, Pepsi est encore pire que Coke. Sachez que Pepsi est propriétaire de Lays. Cette valeureuse compagnie est à elle seule responsable des problèmes d'obésité d'un grand nombre de gens.

Êtes-vous déjà allés dans un tout inclus dans le Sud, où l'on trouve de nombreux États-Uniens et leurs clones, les Canadiens anglais ? Moi, oui, malheureusement. Si vous avez le malheur d'y aller, vous comprendrez pourquoi, au Québec, « bacon » est synonyme d'argent. Pour les Anglais et les États-Uniens, le bacon, ça passe tout de suite après l'argent. Je ne vous mens pas, ces beaux touristes doivent manger en moyenne deux ou trois cents grammes de bacon par jour. Cette anecdote doit vous rappeler cet épisode où George Bush père avait dit préférer le bacon au brocoli. Comme un enfant, il s'était moqué du brocoli, qui est pourtant l'un des meilleurs légumes qui soient. Parlons aussi des portions dans les restos états-uniens. Gargantuesque n'est pas le mot. Un jour, j'étais à Nueva York, qu'on surnomme la Grosse Pomme. J'avais justement envie de manger une pomme. Eh bien, toutes les pommes qu'il y avait dans l'épicerie étaient grosses comme des citrouilles.

Vous connaissez le phénomène Jackass ? C'est terrible. On se croirait à l'époque de Néron ou de Caligula, mais en mille fois pire ! Les gens sont en mal de sensations fortes, mais ils passent à côté de l'essentiel. Vous allez dans un bar aux États-Unis et au Canada anglais, et il y a des écrans partout. Or l'essentiel, c'est justement les rapports humains. On a construit une société tellement individualiste que les gens sont devenus incapables de rapports humains. Voici un petit exemple. Marie-Ève et Mélanie sont ensemble. La première ne cesse de « texter » Julie, et la seconde fait de même avec Clara. Le lendemain, Marie-Ève est avec Julie, mais elle passe son temps à « texter » Mélanie. C'est complètement fou, mais on est rendus là.

Ma théorie. L'establishment a eu peur dans les années 1960-1970. Le mouvement hippie l'a vraiment ébranlé. Et l'élément rassembleur, c'était quoi ? Le sexe. Comment l'establishment s'est-il attaqué au mouvement hippie ? La CIA a-t-elle assassiné Jimi Hendrix, Jim

Morrison et Janis Joplin ? Je crois que oui, mais il a fallu plus que ça pour écraser ce mouvement — le plus beau de l'histoire de l'humanité — qui venait, eh oui, de l'Angleterre et des États-Unis. On a lancé des modes superficielles comme le disco. Le cinéma est devenu de plus en plus violent. Bien sûr, cela contribue à ce que les gens se sentent moins en sécurité. L'idée, c'est d'empêcher les rassemblements. Quand les gens sont individualistes, l'establishment est content.

Évidemment, il fallait aller encore plus loin. L'establishment n'est satisfait que lorsque l'ennemi est éliminé. C'est alors que Reagan est devenu président des États-Unis. Quelques semaines, plus tard, on essayait de foutre la trouille aux gens avec l'herpès génital. Ça faisait tout à coup la une des médias. Puis, bénédiction : le sida. Au milieu des années 1980, on en parlait tellement dans les médias que ma grand-mère pensait que tout le monde l'avait. Comme un château de cartes, tout ce qui restait du mouvement hippie s'est effondré. Suis-je en train d'avancer que le sida est un complot du gouvernement états-unien ? Chose certaine, l'épidémie a drôlement bien servi l'establishment. Quand les gens sont paranos, l'establishment est content, content.

Et puis, il y a beaucoup d'argent à faire avec les paranos. D'abord, ils prennent beaucoup plus de pilules que les hippies prenaient de LSD. En fait, le boum de l'industrie pharmaceutique est un autre signe de décadence. Il y a eu un autre boum, celui de la porno. Les gens vivent leur sexualité tous seuls dans leur coin. Wow ! C'est merveilleux ! L'establishment est content, content, content. Au-delà de son rôle d'oppression, la porno est dommageable sous beaucoup d'autres aspects. Les femmes ne se font plus pénétrer, elles se font défoncer. Ces images dépravées ont un effet pernicieux, surtout chez les jeunes. « L'histoire de Léa, 9 ans, est résumée par deux toutes petites phrases : "Abus sexuel par deux garçons. De neuf et onze ans et demi", a écrit une travailleuse sociale dans le formulaire de réclamation d'indemnités[160]. » Ce que ces jeunes garçons ont fait subir à cette pauvre petite, c'est ce qu'on voit dans les films pornos. La porno, c'est une industrie qui rapporte très gros, et la part du lion va aux États-Unis !

Dans un monde de plus en plus pollué, il faut s'interroger sérieusement sur l'automobile. Il y a eu Kyoto. Les États-Uniens, eux,

160. BENESSAIEH, Karim, « Fillette violée par deux jeunes garçons : la justice ne punira pas les agresseurs », *La Presse*, 11 octobre 2008.

ont répondu avec le Hummer. Un véritable char d'assaut qui consomme des quantités effarantes d'essence. Un jour, on écrasera les piétons. J'exagère à peine. Aux États-Unis, à part à quelques endroits, tu passes pour un fou quand tu marches. Les États-Uniens prennent leur véhicule pour aller à l'épicerie qui se trouve à cent mètres de leur domicile.

Mais, à travers toute cette décadence, il y a de l'espoir. Barack Obama. Saura-t-il changer à lui seul le cours de l'histoire ? Je l'espère, sincèrement. Mais pendant que le 44ᵉ président des États-Unis fait ses premiers pas à la Maison-Blanche, un groupe du Nevada, *The Killers*[161], fait fureur en interprétant des chansons aux rythmes accrocheurs, mais aux textes stupides, et la Saint-Valentin bat son plein avec le film *Meurtres à la St-Valentin 3D*. Sans oublier que le hip-hop, qui véhicule une image complètement dégradante de la femme, est une des musiques les plus populaires des États-Unis et du reste de la planète.

Obama a dit qu'il ne fermerait pas Guantanamo durant les cent premiers jours suivant son arrivée au pouvoir. Pourtant, il se passe des choses très graves à Guantanamo. « "Les États-Unis, qui étaient bien souvent aux avant-postes de la défense des droits de l'homme, sont devenus sous le gouvernement Bush un des principaux contrevenants aux droits de l'homme", a souligné au cours d'une conférence de presse le directeur de HRW (Human Rights Watch), Kenneth Roth[162]. »

Rappelons-nous qu'un candidat à la présidence doit avoir amassé au moins 20 millions de dollars pour assurer sa candidature. Voici le portrait des avant-dernières élections (n'est-ce pas plutôt les avant-avant-dernières [antépénultièmes] : Obama/McCain, Bush/Kerry, Bush/Gore). « M. Bush, alors gouverneur d'un État, le Texas, que les industriels du pétrole, de l'armement et des télécommunications gouvernent sans doute davantage que les gouverneurs, avait obtenu le soutien financier du lobby des fabricants d'armes, des assurances et de quelques autres, dont celui de l'énergie — une entreprise nommée Enron joua les tout premiers rôles ; M. Gore bénéficiait de l'appui de Wall Street, du lobby des avocats et de quelques autres dont celui d'Hollywood. On s'indigna

---

161. Les Meutriers en français.
162. « Droits de l'homme : les États-Unis appelés à donner à nouveau l'exemple », Washington, *AFP*, 14 janvier 2009.

que ceux qui signent les chèques rédigent les lois. On parla à nouveau de réformer le financement de la vie politique[163]... »

La question est de savoir si Barack Obama aura les coudées franches ou s'il aura les mains et les pieds liés par l'establishment ? Et le pire de tout, sera-t-il assassiné ?

La société dans laquelle on vit est fortement influencée par les États-Unis et les autres pays anglophones. Le mot d'ordre : l'argent, et peu importe la façon d'en faire. Frauder, tuer ou tout détruire ne sont pas des obstacles. La culture et l'intelligence sont méprisées. On vit dans un monde superficiel. Ce monde a un avantage pour les Anglais et les États-Uniens : les gens ne savent pas d'où ils viennent. Les Anglais et les États-Uniens profitent du fait que les gens ne connaissent pas l'Histoire. Le hic avec cette société, c'est qu'on ne s'en va nulle part ou tout droit dans un mur.

163. HALIMI, Serge, « Un scandale presque légal ; Enron, symbole d'un système », *Le Monde diplomatique*, 8 mars 2002. http://www.monde-diplomatique.fr/dossiers/enron/

LE CHAÎNON MANQUANT

Sur une mappemonde vierge, on pourrait colorier en rouge les États-Unis, l'Angleterre, le Canada et les autres pays anglophones. Dans ces pays, les gens ressemblent à des hommes, mais ils n'en sont pas. Ils mangent toujours avec leurs mains : hamburgers, hot-dogs, sous-marins, sandwiches, pizza, poulet et poisson frits. Et si ces gens qui mangent presque toujours avec leurs mains étaient le chaînon manquant ? D'accord, je blague, mais à peine. Avant de me condamner, relisez le chapitre sur le sentiment de supériorité des Anglais et des États-Uniens.

Comme on l'a vu précédemment, les anglophones ne lisent pas de livres traduits.

Voici quand même un extrait de *L'Avare* de Molière :

« VALÈRE : Apprenez, maître Jacques, vous et vos pareils, que c'est un coupe-gorge qu'une table remplie de trop de viandes ; que, pour se bien montrer ami de ceux que l'on invite, il faut que la frugalité règne dans les repas qu'on donne ; et que, suivant le dire d'un ancien, il faut manger pour vivre, et non pas vivre pour manger.

« HARPAGON : Ah ! que cela est bien dit ! Approche, que je t'embrasse pour ce mot. Voilà la plus belle sentence entendue de ma vie. Il faut vivre pour manger, et non pas manger pour vi… Non, ce n'est pas cela. Comment est-ce que tu dis ? »

Ces anglophones ethnocentriques auraient avantage à s'ouvrir aux autres cultures, notamment à Molière. Après tout, Harpagon et Valère avaient un minimum de sagesse.

Les exploiteurs : en anglais, « The Users »

Inuits, Québécois, Chiliens ou Brésiliens, nous sommes tous Américains. Pourquoi les États-Uniens se sont-ils approprié le mot si ce n'est par impérialisme ? Comme ils vivent aux USA, le pays du dollar US, je propose de les appeler « The Users », en francais, « les exploiteurs ». N'est-ce pas, de toute façon, ce qu'ils sont ?

POSTFACE

Au cours de mes recherches, je suis tombé sur plusieurs articles de Bernard Cassen, qui a été directeur du *Monde diplomatique* jusqu'en janvier 2008. Non seulement cette publication est la meilleure de toutes, publiée en français, mais son ancien directeur est d'une rare lucidité. Cela dit, je ne suis pas surpris, mais déçu de l'admiration qu'il voue à Fidel Castro. Le journaliste français est un défenseur de l'alter-mondialisme, et je partage son combat, mais, si on se cherche des héros, je ne pense pas qu'on puisse les trouver chez Fidel Castro ou chez Hugo Chavez. Qui plus est, le Lider maximo n'a jamais rien fait pour nuire à l'essor de la langue anglaise. Bien que la majorité des touristes qui vont à Cuba soient francophones, rares sont les travailleurs de l'industrie touristique qui parlent le français. À Cuba, la langue seconde, c'est l'anglais, et les deux marques de cigarettes les plus populaires sont Popular et Hollywood!

Bernard Cassen croit avec justesse que la famille des langues romanes pourrait faire alliance pour faire contrepoids à l'anglais. « [À] elles seules, les langues romanes sont officielles dans 60 pays : 30 pour le français, 20 pour l'espagnol, 7 pour le portugais, 2 pour l'italien (Italie et Suisse) et 1 pour le roumain. Ajoutons Andorre pour le catalan… L'anglais, lui, n'est langue officielle que dans 45 pays, et l'arabe dans 25[164] ». D'autres intellectuels emboîtent le pas du journaliste comme Philippe Rossillon, qui parle de « solidarité latine » ou de « latinité », ou Françoise Ploquin, qui se sert de l'exemple des Danois, des Norvégiens et des Suédois, qui peuvent communiquer entre eux comme pourraient le faire les locuteurs de langues romanes. Cassen défend aussi cette idée et il cite Umberto Eco, dont le point de vue va également dans ce sens. « Une Europe de

---

164. CASSEN, Bernard, « Un monde polyglotte pour échapper à la dictature de l'anglais », *Le Monde diplomatique*, janvier 2005, p. 22.

polyglottes n'est pas une Europe de personnes qui parlent couramment de nombreuses langues, mais, dans le meilleur des cas, de personnes qui peuvent se rencontrer en parlant chacune sa propre langue et en comprenant celle de l'autre, sans pour autant être capable de la parler couramment[165]. »

Je crois personnellement que l'idée d'une plus grande solidarité entre les pays de langues romanes est intéressante, mais l'heure est aux prises de position plus tranchées. Tout d'abord, la facilité de communication entre les locuteurs de langues romanes est loin d'être évidente. Le français est facile à lire pour un hispanophone ou un lusophone, mais il est difficile à prononcer.

En écrivant ce livre, je me suis rendu compte que le danger n'était pas qu'une langue vivante soit la langue internationale, mais que cette langue internationale soit l'anglais, une langue irrémédiablement vouée à l'impérialisme et à l'ethnocentrisme. Vous aurez compris que j'élimine d'entrée de jeu une langue artificielle comme l'espéranto. Je pense que la langue qui pourrait devenir le plus facilement la nouvelle langue internationale est l'espagnol. Qu'on me comprenne bien quand je prône l'adoption d'une nouvelle langue internationale : je ne prends pas le parti de l'unilinguisme. Je suis et je serai toujours en faveur du plurilinguisme, mais je pense que si l'espagnol supplantait l'anglais comme langue internationale, cela contribuerait à favoriser le plurilinguisme, car l'espagnol ne serait pas une langue impérialiste, mais bien une langue de communication.

Avant de poursuivre, je vais vous raconter une anecdote. Je suis allé pour la première fois en Espagne il y a 25 ans, soit en 1984. À cette époque, le pays était pauvre et isolé. On se serait presque cru dans un pays communiste. Dans les rues, il n'y avait pratiquement que deux marques de voitures. *La Renault Siete* — une *Renault 5* munie d'un coffre, conçue spécialement pour le marché espagnol — et la *Seat*, qui était la copie conforme de la *Fiat Uno*, tout comme la fameuse *Lada*.

Quelques années après que l'Espagne et le Portugal eurent adhéré à la Communauté européenne en 1986, le niveau de vie a augmenté de façon significative. Ces deux pays ont beaucoup bénéficié de l'aide

165. Eco, Umberto, *La recherche de la langue parfaite dans la culture européenne*, coll. « Points », Paris, Seuil, 1997, *in* Cassen, Bernard, « Un monde polyglotte pour échapper à la dictature de l'anglais », *Le Monde diplomatique*, janvier 2005, p. 23.

des moteurs de l'économie européenne, soit l'Allemagne et la France. Tout à coup, je ne reconnaissais plus mes amis espagnols, jadis simples et modestes. Les pauvres avaient adopté des comportements de nouveaux riches. D'ailleurs, les Espagnols se sont toujours comportés de façon arrogante avec les Sud-Américains. De là mon idée de faire de l'espagnol sud-américain la langue internationale !

Imaginez, un instant, le choc que ça ferait aux États-Unis ! Les 50 millions d'immigrants hispanophones états-uniens seraient galvanisés, et peut-être que mon rêve de voir les Noirs états-uniens passer à l'espagnol se réaliserait !

Je suis prêt à me battre bec et ongles pour la défense du français et des autres langues, notamment les langues amérindiennes, mais aussi pour faire de l'espagnol la nouvelle langue internationale. Que les Cassen et Rossillon de ce monde me donnent leur soutien, et je ferai des conférences partout dans le monde pour promouvoir cette idée.

En attendant, il y a un homme à abattre, c'est Sarkozy. Il est vendu à l'Empire anglo-états-unien. Pour lui faire plaisir, Carla Bruni a enregistré un album en anglais. Un des meilleurs amis du président français est le Franco-Ontarien Paul Desmarais, le plus grand ennemi d'un Québec bilingue, que Sarkozy s'est empressé de récompenser. « La Grand-Croix, qui se porte en écharpe suspendue à un large ruban rouge qui passe sur l'épaule droite, est la plus haute "dignité" dans l'ordre de la Légion d'honneur. Réservée à quelques dizaines de récipiendaires, elle se situe au-dessus des "rangs" de chevalier, d'officier et de commandeur et d'une autre « dignité », celle de grand officier. Paul Desmarais se retrouve en bonne compagnie : dans le passé, cette décoration prestigieuse a été accordée à Alexandre de Russie, à Gustave Eiffel, à Lech Walesa, à l'abbé Pierre et à des présidents fraîchement élus : Valéry Giscard d'Estaing, François Mitterrand et Nicolas Sarkozy[166]. »

Sarkozy en fera de même avec le petit chien-chien de Paul Desmarais, le premier anglophone du Québec, John James Charest, qui a fait reculer la condition du français comme aucun autre premier ministre du Québec avant lui : « Le chef de l'État français devrait remettre la

---

166. « Une fleur de Sarkozy à son ami Paul Desmarais », *La Presse canadienne*, 16-17 février 2008.

plus prestigieuse décoration honorifique de la République au premier ministre québécois le 2 février, lors d'une cérémonie à l'Élysée, a appris *La Presse Canadienne* à Paris[167].»

Au cours de la cérémonie, le président français a prononcé un discours dans lequel il a fustigé les indépendantistes québécois en les traitant de sectaristes. John James Charest, le caniche préféré du roi Paul 1er, arborant fièrement cette décoration, dont il est indigne, aboyait de félicité, mais les deux leaders indépendantistes québécois ont très mal pris ces propos. «Une lettre de quatre pages cosignée par les deux chefs de parti a été envoyée hier à l'ambassade de France à Ottawa. "Jamais un chef d'État étranger n'a autant manqué de respect aux plus de deux millions de Québécois qui se sont prononcés pour la souveraineté, peut-on lire. Aucun n'a utilisé envers le mouvement indépendantiste les épithètes pour tout dire méprisantes que vous employez". "M. Sarkozy devrait élargir le cercle de personnes qui l'informent sur le Québec, a déclaré la chef du PQ, Pauline Marois, en point de presse ce matin à Montréal. Ce qui fait mal, c'est que ce sont des propos contraires à la vérité[168]".»

On n'a pas fini de voir à quelle enseigne loge Sarkozy. Je ne serais pas surpris de le voir recevoir le prix de la Carpette anglaise dans un avenir rapproché. «Cette nouvelle rencontre entre Gordon Brown et Nicolas Sarkozy illustre un rapprochement entre Paris et Londres[169] […]».

Et le froid que le président français entretient avec Angela Merkel n'est pas étranger au processus d'anglicisation déjà amorcé par la France. «Vues de Berlin, les relations actuelles ressemblent aux pires temps entre Jacques Chirac et Gerhard Schröeder: Sarkozy et Merkel ne communiquent plus[170].»

---

167. DOLBEC, Michel, «Jean Charest va recevoir la Légion d'honneur», *La Tribune*, 20 janvier 2009.

168. BENESSAIEH, Karim, «Marois et Duceppe envoient une plainte officielle à la France», *La Presse*, 5 février 2009.

169. «Crise : Sarkozy et Brown veulent éviter la contagion à l'Europe de l'Est», 28 octobre 2008, *Lepoint.fr*. http://www.lepoint.fr/actualites-politique/crise-sarkozy-et-brown-veulent-eviter-la-contagion-a-l-europe-de/917/0/286517

170. SIMON, Marie, «Paris-Berlin: Sarkozy et Merkel ne communiquent plus», *L'Express*, 25 février 2008.

Le candidat qui fera la lutte à Sarkozy devra défendre ce mouvement visant à faire de l'espagnol la nouvelle langue internationale. Une fois élu, il aura à convaincre l'Allemagne, car l'Espagne et l'Italie seront déjà vendues à l'idée. Dans le fond, on est plus près du but qu'on le pense, car c'est en Europe que ça peut se jouer. Vous verrez, quand l'espagnol sera la nouvelle langue internationale, le français ne sera plus menacé ni au Québec ni en France. Dès lors, les Anglais et les États-Uniens devront faire le deuil de leur dessein impérialiste, et nous pourrons commencer à parler sérieusement de paix universelle.

BIBLIOGRAPHIE :

ARENDT, Hannah, *Les origines du totalitarisme : L'impérialisme*, Paris, Fayard, 1982, 2000. Beaudoin, Louise, *Plaidoyer pour la diversité linguistique*, Montréal, Fides, 2008.

BEAUDOUIN, Louise, Plaidoyer pour la diversité linguistique, Montréal, Fides, 2008.

BEAUREPAIRE, Pierre-Yves, *Le mythe de l'Europe française au XVIIIe siècle : diplomatie, culture et sociabilités au temps des Lumières,* Paris, Autrement, 2007.

BOURGEOIS, Patrick, *Le Canada, un État colonial !*, Éditions du Québécois, Québec, 2006.

BOURGEOIS, Patrick, *Québec bashing*, Québec, Les Éditions du Québécois, 2008.

BRAGG, Melvyn, *The Adventure of English : The Biography of a Language*, Londres, Hodder and Stoughton Book, 2003.

DOSTOÏEVSKI, Fédor, *Le joueur*, Arles, Babel, 1998.

DUCLOS, Denis, *Le complexe du loup-garou. La fascination de la violence dans la culture américaine*, Paris, La Découverte, 1994.

DUFOUR, Christian, *Les Québécois et l'anglais. Le retour du mouton*, Montréal, Les Éditeurs réunis, 2008.

FANON, Frantz, *Peau noire, masques blancs*, Paris, Seuil, 1952.

FERRO, Marc, *Le livre noir du colonialisme. XVIe – XXIe siècle : de l'extermination à la repentance*, Paris, Robert Laffont, 2003.

FILTEAU, Gérard, *Histoire des Patriotes*, Québec, Septentrion, 2003.

FOURNIER, Claude, Les Tisserands du pouvoir, Montréal, Malofilms, 1988.

FRASER, Matthew, *Les armes de distraction massive ou l'impérialisme culturel américain*, Montréal, Hurtubise HMH, 2004.

FUMAROLI, Marc, *Quand l'Europe parlait français*, Paris, Éditions De Fallois, 2001.

HAGÈGE, Claude, *Halte à la mort des langues*, Paris, Odile Jacob.

LESTER, **Normand**, *Le livre noir du Canada anglais 1*, Montréal, Les Intouchables, 2001.

LUGAN, **Bernard**, *Histoire de l'Afrique du Sud*, Paris, Perrin, 1995. Memmi, Albert, *Portrait du colonisateur*, Paris, Payot, 1973.

POSTEL-VINAY, **Karoline**, *L'Occident et sa bonne parole. Nos représentations du monde, de l'Europe à l'Amérique hégémonique*, Paris, Flammarion, 2005.

RICHARD, **Guy**, *L'histoire inhumaine*, Paris, Armand Colin, 1992.

MACLEOD, **Peter**, *La vérité sur la bataille des plaines d'Abraham*, Éditions de l'Homme, 2008.

ROBIN, **Marie-Monique**, « Les États de sécurité nationale » (chap. XVIII), *Escadrons de la mort, l'école française*, Paris, La Découverte, 2004.

ROUSSEAU, **Normand**, *L'Histoire criminelle des Anglo-Saxons*, Saint-Zénon, Louise Courteau éditrice, 2008.

SCOWEN, **Peter**, *Le livre noir des États-Unis*, Montréal, Les Intouchables, 2002.

SEALE, **Bobby**, *À l'affût — Histoire du parti des Panthères noires et de Huey Newton*, coll. « Témoins », Paris, Gallimard, 1972.

WATTS, **Steven**, *The Magic Kingdom: Walt Disney and the American Way of Life*, 1997.

SOURCES JOURNALISTIQUES :

AFP, « L'homme qui incarnait le scandale Enron », *Le Devoir*, 23 juillet 2006.

ARCAND, **Jean-Philippe**, « Le MAPAQ a-t-il réagi de façon abusive ? Listériose : la Protectrice du citoyen fera enquête », *24 heures*, 30 septembre 2008.

BENESSAIEH, **Karim**, « Fillette violée par deux jeunes garçons : la justice ne punira pas les agresseurs », *La Presse*, 11 octobre 2008.

BISAILLON, **Martin**, « Brillante combine pour exploiter un faux gisement », *Le Journal de Montréal*, 17 février 2006.

BRASSARD, **Marc**, « Savard donne le crédit à Julien et à Hartley », *Le Droit*, 25 novembre 2008.

CASSEN, **Bernard**, « Un monde polyglotte pour échapper à la dictature de l'anglais », *Le Monde diplomatique*, janvier 2005.

COLOMBANI, **Jean-Marie**, « Nous sommes tous Américains », *Le Monde*, 13 septembre 2001.

DOLBEC, Michel, « Jean Charest va recevoir la Légion d'honneur », *La Tribune*, 20 janvier 2009.

DUTEURTRE, Benoit, « Faut-il encore se battre contre l'hégémonie de l'anglais ? », Lettres, éditée par l'Association pour la sauvegarde et l'expansion de la langue française, 21 août 2000.

ELKOURI, Rima, « La langue de Montréal », *La Presse*, 14 janvier 2009.

FRIEDMAN, Thomas, *New York Times*, 28 mars 1999. Halimi, Serge, « Un scandale presque légal ; Enron, symbole d'un système », *Le Monde diplomatique*, 8 mars 2002.

LAVAL, Brigitte, « Réunion à Nice en anglais. "Speak White", 15 septembre 2008. Lemoine, Dominique, « Rio Tinto : incertitude au Québec », *lesaffaires. com*, 10 décembre 2008.

PESKINE, Laure, « Interdit de parler gaélique en Irlande du Nord », *Eurominority*, 18 octobre 2007.

PESKINE, Laure, « Le français est moribond à la Commission européenne », *Libération*, le 7 janvier 2008.

PESKINE, Laure, « La langue russe dans les pays baltes : un lent déclin », *Nouvelle Europe*, 19 mai 2008. Saulnier, Natasha, « Enron : un scandale emblématique », *L'Humanité*, 23 décembre 2002.

ROBITAILLE, Antoine, « Des commandites aux Plaines d'Abraham », *Le Devoir*, 3 février 2009.

SCHMOUKER, Olivier, « Québec subventionne une filiale de Rio Tinto », 30 janvier 2008. Simard, André, « Rio Tinto Alcan ferme l'usine de Beauharnois », *lapresseaffaires.com*, 20 janvier 2009.

SIMON, Marie, « Paris-Berlin : « Sarkozy et Merkel ne communiquent plus », *L'Express*, 25 février 2008.

Imprimé sur du Rolland Enviro100, contenant
100% de fibres recyclées postconsommation,
certifié Éco-Logo, Procédé sans chlore, FSC
Recyclé et fabriqué à partir d'énergie biogaz.

La production du titre *Anglaid* sur du papier Rolland Enviro100 Édition, plutôt que sur du papier vierge, réduit notre empreinte écologique et aide l'environnement des façons suivantes :

    Arbres sauvés : 24
    Évite la production de déchets solides de 695 kg
    Réduit la quantité d'eau utilisée de 65 704 L
    Réduit les matières en suspension dans l'eau de 4,4 kg
    Réduit les émissions atmosphériques de 525 kg
    Réduit la consommation de gaz naturel de 99 m³

C'est l'équivalent de : 0,5 terrain de football américain d'arbres, de 3 jours de douche et de l'émission de 0,3 voiture pendant une année.

Marquis imprimeur inc.

Québec, Canada
2009